当代经典
长篇小说文库

遗忘

李洱 著

图书在版编目（CIP）数据

遗忘 / 李洱著 . -- 南京 : 江苏凤凰文艺出版社 , 2019.8
（当代经典长篇小说文库）
ISBN 978-7-5594-3783-9

Ⅰ . ①遗… Ⅱ . ①李… Ⅲ . ①长篇小说 - 中国 - 当代 Ⅳ .
① I247.5

中国版本图书馆 CIP 数据核字 (2019) 第 099134 号

遗 忘

李 洱 著

出版人 张在健
责任编辑 陈 旻 黄孝阳 汪 旭
装帧设计 张景春
责任印制 刘 巍
出版发行 江苏凤凰文艺出版社
南京市中央路 165 号，邮编：210009
网 址 http://www.jswenyi.com
印 刷 苏州越洋印刷有限公司
开 本 880 × 1230 毫米 1/32
印 张 7
字 数 137 千字
版 次 2019 年 8 月第 1 版 2019 年 8 月第 1 次印刷
书 号 ISBN 978 - 7 - 5594 - 3783 - 9
定 价 46.00 元

目　录

遗忘——

嫦娥下凡或嫦娥奔月

本 事

她的故事家喻户晓。她一开始待在天上，后来跟着男人下来了，也就是下凡。后来，她又回到了天上。准确地说，是飞上了月亮。

这一下你知道了，她就是嫦娥。她有很多名字，嫦娥、恒娥、常羲、尚仪、常仪、玉兔、月精……此外，还有若干难听的名字，比如癞蛤蟆，豁嘴兔，等等。现在，她又下凡了。

好多人都为她写过诗，各个朝代都有。写得最好的是李商隐。

云母屏风烛影深，长河渐落晓星沉。
嫦娥应悔偷灵药，碧海青天夜夜心。

统计材料表明，给她写过诗的人数不胜数，却没有一个人去描述她的长相，这并不是因为她长得丑，大家才不好意思去写，而是因为她长得太靓了。从古到今，所有的靓妹当中，只有她享有这种荣誉：不需要诗人多费笔墨，大家就知道她长得很美。顺便说一下，以前没有人具体地写到她的美，现在就更不可能写了。因为现在是丑的时代，诗人们的任务就是写丑。至于以后，哎，快别提了。众所周知，以后的时代叫作“后丑时代”。

命题作文

我现在为侯后毅工作，写的是命题作文。侯后毅是大历史学家，也是我的导师。他交代我，要把嫦娥下凡记载下来。他还说，既然到少数民族聚居区收集历史遗存可以叫田野考察，那么写嫦娥下凡，不妨就叫实事考察，意思是实事求是。他的话我不能不听，因为他是我的导师，我的博士帽就攥在他的手心里。按理说，我去年就应该拿到博士文凭，可我的博士论文《嫦娥奔月》至今没能通过答辩，而侯后毅就是答辩委员会的主任。据我所知，别的委员都倾向于让我蒙混过关，只有侯后毅不同意。他说，对他的学生应该高标准严要求，只有改得让他基本满意，他才会把博士帽戴到我的头上。

我把写嫦娥的文字给侯后毅看了，侯后毅说："你写的是个鸟，既没有说明时间、地点，也没有说明原因，还没有注释。"按照他的指示，我赶紧补充了时间、地点：这一天是二○○○年十二月十九日，农历庚辰年，下凡地点为汉州市。至于嫦娥回来的原因，侯还没有告诉我。所以，我又加上了一句话：没有人知道嫦娥回来有何贵干。至于注释，我说：我受你教育多年，当然会写注释。说明一下，我现在写的就是注释，不过，我不打算让侯后毅看到这条注释。

病入膏肓

从某种意义上说，嫦娥下凡和当年的奔月一样，都应该算是天大的事，所以，我应该把事情的前因后果记得尽量详细一点儿。二〇〇〇年十二月十九日中午，我正在修改论文，罗宓打来电话，说侯后毅想见我一面。我以为侯后毅已经处于弥留之际，想在死之前在我的论文上签上他的大名，就坐上出租车往他家里赶。

侯后毅早已病入膏肓。他患的是前列腺癌，已经卧床多日。通常情况下，我每天都要往他家里跑两趟，早晚各一次。早上去，是想看看他是否已经在晚上死掉；晚上去，是想知道他是否又活了一天。但十二月十九日这一天，奇迹出现了。我发现侯后毅竟然坐在餐桌旁边，端着一碗饺子大嚼大咽。桌上还有一碗饺子，侯后毅说那是给我留的。冬至已经过去了，还吃什么鸟饺子？但侯后毅让我吃，我不能不吃。那饺子馅已经发馊了。侯后毅问我好吃不好吃，还没等我答话，罗宓就说："好吃个屁，再放两天就得喂狗了。"罗宓是侯后毅的妻子。她说过这话，又倒过来问我："喂，你说呢？"她这样问我，分明要挑起事端。我咬了一口饺子，做出了很难下咽的样子。对这个动作可以作出两种截然相反的解释：在侯后毅看来，这个动作表明我已经吃饱了，可是因为饺子好吃，我还想多吃一个；在罗宓看来，它又可以表明那馊玩意儿简直让人恶心。罗宓把自己那份饺子倒了，然后拍拍屁股走了。这时候，侯后毅告诉我，嫦娥又下凡了，而且就在今天。他还说，女人的鼻子比狗都灵。他这里说的鼻子是罗宓的鼻子。他说：“嫦娥一来，她就知道了，而且很生气。”接着，他就交代我，一定要把它记载下来，因为这是历史。他还说：“你原来的论文可以扔了，应该集中精力把这篇文章写好；这也是一篇论文，写完之后，我就可以把博士帽戴到你的头上。”

我问侯后毅：“嫦娥下凡，你是怎么知道的?”侯后毅说他当然知道，因为他就是夷羿转世。他告诉我，他已经见了嫦娥一面，嫦娥给他吃了一点儿不死药。但是，由于她不能肯定他就是夷羿的转世，所以她只让他吃了那么一点点药，只能暂时维持住他的性命。他找我，就是要让我写嫦娥下凡，要把它当作一篇论文来写，进而论证他就是夷羿的转世——这样他就可以从嫦娥那里得到不死药。

我的疑问与侯的解释

我得说说我的疑问：（1）既然侯后毅一时又死不了，那他为什么不亲自来写这篇文章呢？（2）既然侯后毅是夷羿转世，他满可以亲自向嫦娥说明这一点，用不着让我多费口舌，更何况他本人就是一个历史学家。

侯后毅的解释是，他不是没有想过这个问题，但他宁愿让我成为这部历史文献的作者。靠一篇文章而不朽，是所有历史学家的梦想。再没有人比历史学家更注重自己身后的名声了，在这方面，他们的欲望比政治人物还要强烈。侯后毅这样说，我的疑惑不但没有减弱，反而加重了。把这样的好机会让给别人，除非侯后毅真是吃错了药。所以，我相信一定有更深的原因。侯后毅看出了我的想法，说："是的，我知道你不愿相信我的诚意，你要知道，既然我是夷羿转世，那就已经是一个历史人物了，不需要再靠一篇文章去获得俗世之名。"他最后说："如果能通过你的文章让嫦娥承认我就是夷羿转世，我就可以和嫦娥一起飞上天庭。到了那里，俗世之名于我又有何用呢？"

狗的故事

· 在十二月十九日中午的谈话中，侯后毅和罗宓都提到了"狗"。罗宓拍拍屁股走了以后，侯后毅说："罗宓说话越来越有水平了，她说饺子再放两天就可以拿去喂狗，意思是说，饺子再放两天会比现在还好吃，因为她说的狗不是一般的狗，而是有具体的所指。"我问侯后毅是什么所指，他说："你真是白学了这么多年历史，好好琢磨去吧。"从侯后毅家里出来，我一直在琢磨这个问题。校园的草坪上有几个人正在遛狗。有一个女人，遛着狗，走上几步，就把狗抱起来亲一下。草坪外围的铁栅栏旁边，有一堆狗屎。我盯着那泡狗屎想了一会儿，突然开窍了，明白过来侯后毅其实是在提醒我注意一个基本事实，即在历史上，人和狗曾经有过一次重要的交配，而且这事还和嫦娥有关。也就是说，他虽然提的是狗，但说的却是嫦娥的故事。

那条擅长和人交配的狗名叫盘瓠。有一本书叫《后汉书》，作者是范晔。和侯后毅一样，范晔也是个大历史学家，曾任左卫将军，掌管禁旅，参与机要，是朝廷的重臣。

范晔考证出，帝俊曾受到外敌的侵扰，为此帝俊多次征讨，但是每一次都攻不克战不胜。为此，他下了一份文件，凡是能弄到敌军首领脑袋者，就招为驸马。文件还盖着他鲜红的玉玺印。

帝俊有一只名叫盘瓠的狗，他色胆包天，深入敌营，把那颗贵重的脑袋衔了回来，然后他就要求做驸马。关于这次婚姻，盘瓠和帝俊有过一次对话。

帝俊：盘瓠啊，盘瓠，你要娶媳妇就娶个母狗算了，却非要当驸马。你这不是有意难为我吗？

盘瓠：我确实是狗。怎么了？狗也有七情六欲啊。再说了，你说得好好的，已经形成文件了，总不能再翻脸不认账吧？你女儿，我老盘是娶定了。

帝俊：现在是二月份，你正来神呢。等过了二月，你就知道还是母狗配你合适。

盘瓠：过了二月，还有八月呢。

帝俊：哎，让我怎么说你好呢。我的话难道你一句也听不进去？我女儿嫁给你，生一窝狗杂种，让我怎么向历史交代呢？我老婆嫦娥说得好，只要你好歹算个人，我们就招你当驸马。问题是你不是人啊。

盘瓠：大王，你怎么不早说？我变成人不就得了。弄个柜子让我钻进去。七七四十九天之后，我保管变成一个小帅哥。

这件事的结果如下：舌战胜了帝俊之后，盘瓠就钻进了一个柜子。到了第四十八天，帝俊的女儿等不及了，她想看看未婚夫到底变成什么样了。别人要拦她，可是她的小姐脾气一犯，别人是拦不住的。她掀开柜门，看到盘瓠的身体已经变成了人，只剩下狗头还没有完全变好，上面还有许多毛毛。可是，因为公主泄露了天机，那毛毛再也脱不掉了。但是，不管怎么说，盘瓠终于有了个人样，帝俊就把公主嫁给了他。他们一口气生了很多孩子，那些孩子长大之后又互相配对，生了更多的孩子。

我的学生曲平

当天晚上，我就对文章作了一点儿补充。我加上了狗和帝俊，并写明嫦娥就是帝俊的妻子，就是那条名叫盘瓠的狗的岳母。我刚刚改好，曲平就来了。曲平上本科时是我的学生，喜欢写诗，梦想当一个诗人，后来读了研究生，觉得当诗人没有当历史学家过瘾。因为诗人要想进入历史是非常困难的，而研究历史，就可以直接进入历史。在二十一世纪，要想当历史学家，必须拿到博士文凭，所以她现在正准备考侯后毅的博士。

起初，曲平是通过我和侯后毅接触的，现在她总是绕过我，直接去找侯后毅。和侯后毅接触了几次，她和我说起话来就有点没大没小了。据说，有女权主义倾向的人，往往都这样。我看曲平已经长大了，就趁机对她说："以后你就别叫我老师了，干脆叫我冯蒙算了。"作为曲平的历史专业的启蒙老师，我曾经提醒过她，不要把宝押到侯后毅一人身上，还是趁早和别的教授取得联系，免得到时候被动。曲平这会儿告诉我，她刚从侯后毅那里出来，发现侯先生能吃能睡。她真心地祝愿侯先生拖到她考完博士生再死。我对曲平说，在这方面，我和她的想法是一样的，我也不想让侯后毅现在就死，因为我的博士文凭还在他的手心里捏着。曲平又说，侯后毅对她说了，嫦娥下凡了，他想让她参与接待工作。我说，那太好了，去时别忘了带上我。曲平坐在我的床头，点上一根烟，手托腮帮子，娇滴滴地问我在干什么，还说要请我去跳舞。她的声音虽然很好听，就像春天子规鸟的鸣叫，但她呼出的气息却不大好闻，还带着发馊的饺子馅的味道。显然，她也在侯后毅那里吃了饺子。我礼貌地向曲平指出了这一点。她拍了拍我的肩膀，说："嗨，这有什么，只要有人觉得好闻就行。"她问我在忙什么。我想早点支她走，就说我正要在羊皮纸上写字。曲平装作信以为真，非要看看我的羊皮纸，说她经常听别人说到羊皮纸，却从来没有见过。我顺风扯旗，说手头暂时没有，正在托人搞，搞到之后一定叫她看个够。

曲平又扯了些别的事，后来终于忍不住了，问我能不能把她也写到《嫦娥下凡》里去。她的理由是，我现在写的是历史，只要把她扯进去，她就可以在历史上留下自己的芳名。

羊皮纸

我想用电脑完成侯后毅布置的命题作文，或者说我新的博士论文。曲平也有一台电脑，是她的前任男友本科毕业时留给她的。他们分开两星期之后，爱情就死亡了，所以曲平后来常说，那个笔记本电脑是他们爱情的遗产。

我所说的羊皮纸就是指我新买的笔记本电脑。买电脑之前，一个搞现代史的朋友对我说，电脑写作的最大好处是可以随意修改。在修改我的博士论文期间，我充分领略到了用电脑写作的妙处。在某些方面，电脑确实就像中世纪的经学家手中的羊皮纸，写了之后可以擦去，而通过软盘和备份文件，你又可以随意调出原来输进去的内容。由于我在电脑中写的是正在发生的历史，所以，我可以称之为羊皮纸上的历史，它对应于英语中的 Palimpsest History。写在羊皮纸上的历史，其意就是写完可以擦去，新的与旧的可以重叠在一起。对电脑来说，键盘和鼠标就是羊皮纸的刻刀。

曲平在我的床头翻出了范晔的那本《后汉书》，翻到了我刚刚查阅过的盘瓠，还看到我的批注：女不养狗，男不养猫。她立即问我，“女不养狗”是因为人的老祖母和狗有过那么一回事，这一点她曾在书上看过，可是“男不养猫”是怎么回事？我说，我从小就听说过一句民谚，就是“女不养狗，男不养猫”，所以顺手记下了，并没有什么意思。可曲平却不依不饶，非要我告诉她，究竟是在什么地方查到了老祖父和猫干过那种事。还说，既然女人和狗干过，那男人一定和猫干过。而且，很可能是男人干过之后，女人才去干的。她走时用开玩笑的口气说：“如果你查不出来，我就把中国式的女权主义者纠集起来，把你的狗头砸烂。”

侯后毅的提醒

我把改过的文字以及刚加上去的部分注释打印出来，拿给侯后毅看了。他未置可否，这让我心里没底。“这一份先放到我这里。”侯后毅说着，把我的文章锁进了他的抽屉。他还说文章让他看就行了，就不要给别人看了。

侯后毅显然是话中有话。我曾经写过一篇文章，叫作《息壤考》，写完后寄给了 *Mythos*。*Mythos* 的总部在纽约，是世界上最权威的历史学研究杂志。二十世纪的下半叶，最权威的东西基本上都在美国。中国有一个大学问家叫季羡林，他有一个很叫好的说法，叫作“三十年河东，三十年河西”，二十世纪是美国人的世纪，下个世纪就成了中国人的。他的话刚一出口，很多人就忙作一团，忙着为他老人家寻找论据。人多力量大，据说找到不少。我这个人很少看报，所以没有亲眼看到他们找出的论据。现在已经到了二十一世纪，虽说江山轮流坐，但这一次是不是该由中国人坐，我还真有点拿不准。我把文章寄给*Mythos*，就是因为这一行当的江山，至今还是由那里的人坐着，别人谁都别想伸爪子。时间已经过去了半年，我等得着急，就写了一封信前去询问。那边的人倒是不摆臭架子，很快就给我发了一份电子邮件：据说这个世纪有可能是中国人的，所以我们得给自己找点退路；你的文章在侯后毅手里，他是我们聘请的编辑，我们需请他过目。一读稿件，我就高兴地蹦了起来，太好了，侯后毅的爪子已经伸了进去，只要侯后毅说句话，我就可以在*Mythos*上露面了。能在*Mythos*上露面，无疑是鲤鱼跳龙门。我高兴得屁颠颠的，去找了侯后毅，侯后毅却泼了我一盆凉水。他先问我：“你觉得写得怎么样?”我说：“还行啊，我做了很多笔记，总算是功夫不负有心人。”他又问：“你干吗寄那么远呢?”我说：“那里稿酬高，我肚里缺油，想挣笔钱，改善一下伙食。再说了，我也想和他们建立起联系，因为他们领导新潮流。”最后，我求侯后毅，赶快签个意见寄走吧，别耽误他们发稿。侯后毅说：“你的文章写得不错，但还没有到那个份儿上，还得认真修改。”我说：“那您就给我挑挑毛病吧。”侯后毅说他已经考证出来了，所谓的息壤就是现在的大米。息壤可以自己生长，大米用水一泡，体积就可以增加几倍，也就是说，湿过水的大米也可以生长。他还举了一例，说一九九八年长江大水，几可与禹时的大水相比，但却只用了几个月，就锁住了江龙。锁住江龙的关键一步，是治住管涌。而对付管涌最厉害的一手，就是往管涌处倾倒大米。由此可见，禹在世的时候，祖国大地已是稻米飘香，一片丰收景象。

侯后毅说："这是我的研究成果，你要是真想鲤鱼跳龙门，当然可以拿去一用。"我听了很高兴，又蹦了起来，昏昏然有如上了云端，说："我一定把这加上去。"但侯后毅又说："你怎么能加呢，你的材料从哪里来的呢？这篇文章我还没有写，所以你就没有办法引经据典。而不引经据典，你的话就是空穴来风。最近，我的身体越来越糟，不准备动笔，所以，你的大作还是先放一放吧。"他还说，要发扬研究生的三大传统：首先密切联系导师，其次再密切联系美国；不但要做表扬和自我表扬，还要做批评和自我批评；既要理论联系实际，又要理论联系实践。这三大传统我早已耳熟能详，但侯后毅又如此郑重地向我重申一遍，我不能不牢记于心。

侯后毅去见了嫦娥

像往常一样，早上我去了侯后毅家里，但没有见到侯后毅。半年多来，这是侯后毅第一次离开家门。看来嫦娥让他吃的那点儿不死药确实起了作用。查出前列腺癌之前，他白天都待在办公室。学校图书馆逸夫楼的后面，有一幢小楼，是苏联专家援建的。二楼正对着厕所的那一间，就是侯后毅的办公室。我第一次领着曲平见侯后毅，就是在这里。那是在夏天，臭气从门缝里钻进来，呛得人直想呕吐。而房间里铺的地毯，简直就像是隔夜的尿片，那股臊味，总是微微地刺激着人的胃囊。

现在，我敲了敲门，里面没有动静。那门上安的是暗锁，所以我无法断定侯后毅在还是不在。我在门口等了一会儿，想侯后毅会不会蹲在厕所里。我从罗宓那里得知，侯后毅之所以要把办公室安排在这里，是因为他本人见厕所就亲。患上前列腺癌之前，他就有尿频症，肠胃功能也很差，每天都要拉稀。物质第一性，意识第二性，物质决定意识，意识又对物质有能动作用。也就是说，尿频和拉稀决定了侯后毅喜欢厕所，而这种喜欢又反过来起了作用，让侯后毅更加尿频，让他不但改不了拉稀的臭毛病，而且还要拉得更勤，拉得更稀。尿频症和前列腺癌有什么关联，我没有考证过，但凭直觉，我想这两者之间应该有隐秘的联系。这会儿，我佯装撒尿进了厕所，可是里面没有人。大病未愈的侯后毅能跑到哪里去呢？后来，我才想到，他是抱病去见嫦娥了。

关于狗的另一条注释

《世本·帝系篇》中，白纸黑字写着，帝俊娶过一个月神，这个月神就是常仪，而常仪就是嫦娥。史书记载，帝俊是中国最高的神。

帝俊娶过一大堆老婆，其中最有名的是羲和、庆都和嫦娥。帝俊的谱系也记载在《世本·帝系篇》中。嫦娥不但做了帝俊的老婆，而且还生了十二个小月亮。嫦娥高产，一口气生了十二个小月亮的说法，见于《山海经》。《山海经》里面还说，嫦娥爱干净，每天都要给十二个小月亮洗澡。女大当嫁，十二个女儿中有一个出现性倒错，喜欢上了公狗，不是没有可能。权威的性学专著《性史》（*The History of Sexuality*）曾公布过一个统计数字，就是十二个人当中，有一个会有性倒错倾向。也就是说，那十二个女儿当中有一个出现性倒错和这个概率刚好是吻合的。所以，说来说去，嫦娥还是得当上狗岳母。至于羲和生下的那十个太阳，我们现在都已经知道，其中有九个要被夷羿给射下来。而射日的故事，恰恰发生在尧当皇帝的时候。

性冷淡

找不到侯后毅，也见不到曲平，所以我只好作两种猜测：(1) 侯后毅已经死了；(2) 侯后毅是抱病去见嫦娥了。中午，我去食堂打饭，买了一份馄饨、两个包子。我一边吃包子，一边往校门口走。校门口有一个用黑铁皮焊成的报亭，我想买份报纸，看看上面是否登有嫦娥下凡的消息，是否有侯后毅的死讯。我刚走到门口，隔着马路就看见了曲平。曲平正要钻到一辆“富康”牌出租车里面。

她是不是给谁当了二奶？我这样一想，就好奇心大增。曲平上了研究生之后，我曾打过她的主意。一次我拉曲平去跳舞，趁机用手背碰了碰她的乳房。还没碰几次呢，她就拉下脸警告我：“别惹我，我这会儿正是性冷淡。”隔了几天，我掐指算算她怎么也应该热起来了，就又请她去跳舞。她用食指戳了戳我的脑门，说：“亏你还当过我的老师呢，一肚子坏水，你的鸟心思我还不知道？告诉你，我这会儿还是性冷淡。”曲平一直性冷淡，我不能不担心。我就语重心长地说：“快点告诉我，究竟什么时候能热起来？”曲平说她已经想通了，准备就这样冷下去，等上了博士以后再热。我告诉她：“上了博士，如果还热不起来，那你一定找我，对付性冷淡，我是有一手的。”我不是信口雌黄，我曾在一本小说上看过，用一种特殊的气针，在耳朵上刺五个孔，乳头上刺四个孔，左眉毛上刺一个，嘴唇、小腹、阴部各一个，舌头上刺两个，就可以治愈性冷淡。莫非曲平已经不治而愈，提前热起来了？

当然，我还想到了另一种可能，即侯后毅也坐在车上，他们现在正要去见嫦娥。

电脑里的图像

午后睡觉，我做了一个梦，梦见我雇了一辆出租车，跟踪着那辆“富康”牌轿车。我没能撵上它，反倒遇上了车祸，被玻璃刺成了大花脸，头上还刺了一些疤，就像和尚头上的香疤。如果不是电话把我吵醒，我还要继续受折磨。电话是曲平打来的，她让我马上打开电脑，说有人正在电脑视窗里播放嫦娥下凡的图像资料。

我手忙脚乱地打开了电脑，果然看到一个女人正由远而近慢慢飘来。她的影子显得说不出的落寞，仿佛是水中的倒影。她的脸被飘拂的裙裾遮掩着，无法看清。当她落地的时候，我倒是清晰地看见了侯后毅。但图像到此就中断了。接下来，出现了几行字：

十二月十九日凌晨，有人目睹天使下凡了。刚才播出的就是根据目睹者的回忆模拟出来的天使下凡的图像。她一下凡，就神秘失踪了。

过了一会儿，曲平又把电话打了过来。我问她，刚才播放的图像资料，是不是电脑网虫们的恶作剧。她说，估计有不少人正在寻找嫦娥的下落，侯后毅正在向嫦娥通报此事。曲平说，晚上在侯先生家碰面。说完她就要放下电话。我抓紧时间问她：“喂，你在什么地方啊，你是不是给别人当了二奶？”她没有正面回答我，而是说：“侯先生说了，去的时候，把已经写好的文章带上。”

本　事

放下电话，我连忙写了一段嫦娥下凡。我写道：嫦娥下凡之后，很快就和侯后毅先生接上了头。现在有许多人想见到嫦娥。

在拍摄到的图像资料里，嫦娥的面容有些不太清楚，就是“犹抱琵琶半遮面”的意思。这说明，即便借助先进的科技手段，也难以描述出嫦娥之美。我还写道：嫦娥之所以一下凡就和侯后毅先生接头，是因为侯后毅先生就是夷羿转世，但嫦娥还没有最后认定侯后毅就是夷羿转世。

侯后毅和嫦娥见面的情形是这样的：十二月十九日早上，因病卧床多日的侯后毅突然感到神清气爽。当从床上坐起来之后，他才感觉到自己的嘴里有一股奇异的药香。他还惊奇地发现，自己竟然在不知不觉中来到了室外。起初，他以为这是医学上所说的回光返照，但见到嫦娥之后，他才知道这是嫦娥在暗中起了作用。至于是怎么起了作用，唯一的解释只能是，嫦娥随身带来的不死药经过漫长的旅行，进入了侯后毅口中。它的进入是如此准确，就像是一颗钉子受到了一块磁石的牵引，准确地嵌进了磁石外面包着的木盒。侯后毅来到了校门外的小广场。他刚刚来到，就看见了从天而降的嫦娥，但是，除了侯后毅，并没有人知道她就是嫦娥。

文章的写法

到了晚上，我如约前往。和嫦娥谈过话的侯后毅，此时显得精疲力竭。我问侯后毅："您是不是去见嫦娥了?"侯后毅说："既然曲平已经给你说了，我也就没有必要再隐瞒了，我确实是和嫦娥见面去了。"接着，他又下了一道重要指示：这事暂时还不能让罗宓知道。

我问侯后毅，嫦娥有什么动向？侯后毅揉着太阳穴想了一会儿，说："她有什么动向，我会及时给你说的，以后我们要常开碰头会。"他问我写作上遇到了什么困难，可以提出来。我说："困难倒说不上，我只是想见嫦娥一面，好获得第一印象，掌握第一手材料。"侯后毅的脸一下子拉了下来。他的脸本来就长，现在再往下一拉，就和真正的长驴脸没什么两样了。不过，他的态度很快就又好转了。他说："其实见不见都无所谓，见了你也不一定能写出她的样子来，正像你前面写过的那样，历代诗人都不能写出她的相貌，更何况你不是诗人，只是一个搞历史的。"

侯后毅和我讨论文章的写法：既要用历史上的事实来解释今天，又要用今天的事实来解释历史，也就是说，不要有时间上的限制。这是因为，所有的事实，一旦被称为历史，它就是没有时间性的。这就像一只芒果，在任何时代，它都散发着芒果的香味。

一凡二硬

侯后毅对“除了侯后毅，并没有人知道她就是嫦娥”这句话非常赞赏。“你写出了真实。”他说。

我其实心里发虚，因为文章只是来自我的想象，而非来自考证。我坦率地向侯后毅说明了这一点。侯后毅说：“这不要紧，只要你的想象是合理的，它就是真实的。”他的意思其实是，只要想象有助于说明他就是夷羿转世，那就是历史事实，否则就不是。与此相关，侯后毅说我的考证也得经过他的审查，未经他审查的考证，即便典籍中已经写明是历史事实，也只能算是想象。他的话概括起来就是，通过他的审查的想象，按照他的说法，嫦娥下凡时的实际情况和我想象的完全一样。当时有许多人都看到了嫦娥，但没有人认得她，尽管有人围了上来，但只是为她的美色所吸引，而不是由于她是嫦娥。要把考证与想象结合起来，两手都要硬。两手只有都硬了，才能相互握到一起。要是一只硬，一只不硬，有一只手就要被捏酥了。也就是说，既要实事求是，又要有想象，否则就会犯这样或那样的错误。侯后毅说：“为便于记忆，我把你目前的工作要点简化为四个字：一凡二硬。”“凡”指的是我在写嫦娥下凡，“硬”指的是两手都要硬。

有论者说，中国没有进入现代化，是因为没有实行数字化管理。看来这话值得商榷。我们的数字化管理其实无处不在，这里的“一凡二硬”就是一例。有一年，我随侯先生去昆仑山开“‘西王母’学术讨论会”。在昆仑山下，我看到一则标语贴在羊圈上，叫“一扎二抓三揭瓦”。我不明其意，当地人说，它的意思是横下一条心，挑断两根筋。说的还是数字，我还是不明白。经过多方询问，才知道标语说的是计划生育问题。扎是结扎，抓是进班房，揭瓦是扒房，兼指拆除羊圈、猪圈、牛棚。至于那两根筋，原来是指输精管和输卵管。数字化管理之普及，由此句可见一斑。

侯后毅的补充

侯后毅对我的记述又作了一点儿补充。根据他的补充，我又把文章修改如下：

……侯后毅起了床，来到校园后门外的小广场。多日以来，他第一次感到了饥饿。他的肠胃功能不好，在罗宓的劝说下，他渐渐养成了喝鱼头汤的习惯——那东西容易消化。小广场旁边就是菜市场。侯后毅买了一个鱼头，然后又回到了小广场。这时候，他看见了嫦娥。嫦娥正在向别人打听夷羿的下落。别说告诉她了，人们根本就不知道谁是夷羿。侯后毅来到了嫦娥身边，对她说：“我可以告诉你夷羿在哪里，我还知道你就是恒娥。”世人虽然都听说过嫦娥的故事，但很少有人知道嫦娥也叫常羲、常仪、恒娥。侯后毅没有直接称她为嫦娥，原因之一是不想让别人知道她是谁，不想让别人干扰他和嫦娥的私生活。

据侯后毅说，他一叫嫦娥“恒娥”，嫦娥果然应允了。嫦娥问他：“你怎么知道我是恒娥呢?”瞧她说的，他怎么能不知道呢，他就是夷羿的转世嘛。

修辞学的辞格

侯后毅称嫦娥为恒娥，还有另外一个原因：嫦娥以前就叫恒娥。他担心嫦娥并不知道她现在被人叫作嫦娥，所以直接叫她恒娥。汉文帝名叫刘恒，据《文选》所注，为避讳这个“恒”字，后人就改恒娥为常娥，因为常娥是个女的，所以“常”字又加了个“女”旁，成了现在的嫦娥。也是由于汉文帝，故当时将北岳恒山改称常山。改“恒”为“常”，是因为《说文》上说，“恒”与“常”义同。之所以又把“嫦娥”叫作“常仪”，是因为古读“仪”为“何”音，“何”音又与“娥”音相通。所以，“恒娥”就是“常娥”，就是“常仪”，也就是我们现在都知道的嫦娥。

将“恒娥”改为“嫦娥”，丰富了中国的修辞学，由此中国的修辞学增添了一个叫作“避讳”的辞格。最早，避讳仅指对于帝王、君主和尊长的名字的避讳，避免直接说出或写出。因为一些大文豪的介入，避讳具备了新的意义。如，苏轼的祖父名叫苏序，所以苏轼为自己的文章作的序，就称“序”为“叙”或“引”。改序为引，对后世的文章体例有着很大的影响。避讳渐渐成了一种修辞学上的辞格：说话时遇到可能犯忌触讳的事物，就绕开来说。它充分显示了面对权力时，处在畏惧中的人的脆弱性存在。《红楼梦》是避讳辞格的集大成者。连书中的丫鬟（哦，那些水月镜花的美人），也会熟练地运用避讳辞格。即便说到失火，也要使用这个辞格，称之为“走水”。如果缺了这种辞格，《红楼梦》将不成为《红楼梦》。而追其源头，我们就得回溯到把“恒娥”改为“嫦娥”的时代。

避讳辞格已经广泛地融入了日常生活。南方多个省份讳“舌”——折（shé，折本），人们就反其意而用之，四川有些地方把猪舌头称为“猪招财”，湖北有些地方干脆称之为“赚头”。由于所有的避讳都跟“舌头”（发音所需要的最重要的器官）有关，我们不妨把避讳这个辞格形容为舌头的自我管辖。

遗　忘

侯后毅说，嫦娥的记忆出了问题，可以说，她已经没有了记忆。只是因为爱情的缘故，她还记得夷羿，所以她不远万里来到了人间。侯后毅说：“我们应该使她慢慢恢复记忆。”

侯后毅的说法，倒是符合历史事实。从某种意义上，作为一个历史人物，嫦娥就是历史的化身，而历史本身是没有记忆的。历史是一条长在嘴巴之外的舌头，和一块石头没什么两样。它无法言说，它需要借助别人的嘴巴确证自身。《庄子·外篇·知北游》里说：天地有大美而不言，四时有明法而不议，万物有成理而不说。《唱赞奥义书》里也说：万有之精英为地，地之精英为水，水之精英为草木，草木之精英为人，人之精英为语言，语言之精英为颂祷之诗，诗之精英为高声唱赞。西方对此也有相同的看法：语言就是上帝，万物都是借着语言而被创造的。天地，四时，万物，都是历史的存在方式，它们都是哑巴，只有借助人的记叙，它们才有了记忆。

不死药

侯后毅的病情之所以好转，是因为他吃了一点儿嫦娥带来的不死药。那些不死药原是夷羿从西王母那里弄来的。他弄来的药够他和嫦娥两个人吃。照侯后毅的说法，嫦娥吃了一份，把另一份也带走了。史书记载，不死药有两个牌号，一个是蓬莱牌，一个是昆仑牌。前者记于司马迁的《史记·封禅书》，里面说，这种药产于蓬莱、方丈、瀛洲这三座山，吃了可以长生不死。后者记于《淮南子》和《山海经》等，里面说，这种药是西王母造的，吃了可以成仙升天。昆仑牌不死药的名声后来大过了蓬莱牌，其原因就在于嫦娥吃的就是昆仑牌，而嫦娥是个名人，具备名人特有的广告效应。

侯后毅说，他只感到嘴里有一股药味，那药到底是怎么回事，他并不知道。他的这个说法，合乎历史事实。因为西王母的不死药到底是什么东西制成的，史书上也没有记载。按照中国“药”的概念，它要么是丸，要么是散，要么是膏，要么是丹。丸、散、膏、丹，通常由动物、植物和矿物加工提炼而成。《吕氏春秋·本味》里说：“菜之美者：昆仑之苹，寿木之华。”注释家高诱对此的解释是：寿木，昆仑山上木也；华，实也。食其实者不死，故曰寿木。由此可见，西王母的不死药中，有着花果的成分。

我们是个礼仪之邦，送礼有如文人之唱和。汉州电视台最近公布了一个礼品排行榜。排在首位的是美国研制的春药“伟哥”。广告上说，吃了这种春药，可以穷且益坚，不坠青云之志；使人有黄沙百战穿金甲，不破楼兰终不还之勇；有日照香炉生紫烟，遥看瀑布挂前川之美。而在“伟哥”诞生之前，有一个历史时期，中国人送礼，常常送的就是不死药。

与不死药有关的案例

历史上与不死药有关的案例有三个，一个见于《韩非子·说林上》。

有人拿着不死药进入王宫，要献给荆王。荆王的部下就问："这东西到底能不能吃？"献药的人说："笑话，不能吃我拿它做什么。当然能吃。"话音刚落，那个部下就把那药夺过来，塞进了自己的嘴巴。荆王大怒，令卫戍部队把那人拉出去宰了。那人立即说："我吃的是不死药，如果王上把我宰了，就说明我吃的是死药。"荆王就把他放了。

第二个案例，就是有关嫦娥的。嫦娥在吃不死药升天之前，并不知道那药是否管用，也不知道升天之路是凶是吉。她找了最有名的巫师有黄，请他给自己算上一卦。发明浑天仪的张衡在《灵宪》中记载了这次有名的占筮。

嫦娥，羿妻也，窃西王母不死药服之，奔月。将往，枚筮于有黄。有黄占之，曰："吉。翩翩归妹，独将西行，逢天晦芒，毋惊毋恐，后且大昌。"

嫦娥果真成了仙，飞上了月亮。不过，按照李商隐的记载，她在月亮上的日子并不好过。遥望碧海青天、长河星辰，她更加感到雕栏玉砌的月宫就像一个牢笼。元代的雕塑家充分理解嫦娥的这种感受，曾经雕刻了一种瓷枕，将嫦娥的住处做得像个关金丝鸟的笼子。

而第三个案例，和侯后毅有关。他吃了嫦娥随身带来的不死药，病情明显好转。按照侯后毅的说法，只要嫦娥承认他就是夷羿转世，就会把本该属于他的那一份不死药交还给他。

天　使

我在文章里写道，侯后毅将嫦娥领到一个旅馆住了下来。所以在别人眼里，那个从天而降的天使，暂时失踪了。我把文章拿给侯后毅看了，侯后毅说："你这样写是对的，我确实把她领进旅馆住下了，旅馆里的人也不认得她，是因为她虽然是天使，却没长翅膀。"

西方的天使，无论大小，都长有翅膀。有时从胳肢窝里长出来，有时从背上长出来。总之，只要是天使，就得长翅膀。长翅膀，是为了能够飞翔。天使和凡人的差别可以说一目了然。下凡的嫦娥，虽然也可以算是天使，但却不需要长翅膀。至于她的胳肢窝里长的是什么，我想应该是些腋毛。侯后毅说得没错，没长翅膀的嫦娥，站在你面前，你也不知道她是谁。只有极个别的人，才能把她从人群中分离出来。

我知道有人会说，提到腋毛，对嫦娥有点不够礼貌。这我不管，我的工作性质决定了我必须实事求是，一根毛也不能放过。我必须在侯后毅提供给我的一点一滴的信息的基础上，加以合理的想象、推理。这么说吧，虽然那腋毛比鸿毛还轻，可对我来说，却是重于泰山。

本 事

《孟子·离娄下》记载：逢蒙学射于羿，尽羿之道，思天下惟羿为愈己，于是杀羿。意思是说，羿的学生逢蒙，因为嫉妒羿的射术，而杀掉了羿。《淮南子·诠言训》记载：羿死于桃棓。语言学家许慎对此的注释是：棓，大杖，以桃木为之，以击杀羿，由是以来，鬼畏桃也。

夷羿死后，至少已经有过两次转世。一次转世为有穷后羿。有关这次转世，《左传·襄公四年》和《史记·夏本纪》都有记载。他转世为一个普通农民的儿子，生下时，左胳膊就比右胳膊长，这样挽起弓来，弓就更加圆满，箭就射得更远。他后来成了有穷国的国王，所以人们都称他为有穷后羿。他后来被自己的学生寒浞杀掉了。夷羿第二次转世，转世成为会捉鬼的钟馗。据沈括的《补笔谈》记载，唐明皇曾经见过这个钟馗，当时他还以为自己是在做梦。为了能经常看到这位英雄，他请画家吴道子把钟馗画了下来。吴道子因此受命画钟馗，具有双重意义：一是吴道子成为遵命文艺的先驱；二是从此画钟馗成为绘画作品的重要题材，是画家展示想象力的重要领域，其中必不可少有着权力谱系的延伸。二十世纪的两位大画家，徐悲鸿和张大千，也画过钟馗。在徐悲鸿的作品中，钟馗跷着个二郎腿，正在接受小鬼的献祭，类似于猫正在接受鼠辈的孝敬。它本身就是权力关系的重要象征。

而侯后毅，当是夷羿的第三次转世。现在的夷羿，既不射箭，也不捉鬼，而是从事历史研究。现在嫦娥下凡了，作为夷羿转世的侯后毅，当然要和嫦娥重归于好。

钟馗、侯后毅皆为夷羿转世

我在注释里写道，“钟”“馗”两个字的发音合到一起，即为“椎”。椎就是大木棒，就是杀死夷羿的桃木大棒。“钟馗”也写成“终葵”。据《说文解字》所记，齐国人就把大木棒叫作终葵。转世后的夷羿之所以叫作钟馗，显然是表明对自己死亡的记忆。诗人屈原在《九歌·国殇》里记载了此事：

身既死兮神以灵，魂魄毅兮为鬼雄。

夷羿转世成为钟馗之后，成了万鬼的首领，这和民间对钟馗的传说是一致的。在民间，钟馗即为捉鬼的神。夷羿再次转世，成了侯后毅。侯后毅的意思即为后后羿。这一次，他既不像有穷后羿那样当国王，也不像钟馗那样捉鬼，而是成了大历史学家。

罗 宓

要论证侯后毅就是夷羿，不能不提到罗宓。这是因为，罗宓就是侯后毅的夫人。十二月十九日早上，侯后毅去菜市场买鱼头，其实是罗宓的主意。罗宓从小生活在水边，做了教授夫人之后，喜欢吃鱼头的习惯并没有改变。罗宓对侯后毅说：你的肠胃功能不好，吃鱼头有助于消化。跟着罗宓吃了几年的鱼头，侯后毅身上也变得有肉了。以前他脱了衣服，身上的肋骨清晰可数，完全可以用来当搓板。现在，尽管他拉稀的毛病还没改掉，但肋骨上还是挂满了累累肥肉。十二月十九日中午，本来应该喝鱼头汤的，可是因为两个人吵了嘴，罗宓并没有给侯后毅炒菜做饭，自然也没有给他做红烧鱼头。所以，后来吃的是放了多天已经馊了的饺子。当侯后毅告诉我嫦娥下凡的时候，罗宓扔掉碗筷走了。

汉州大学的教授多如牛毛，隔墙扔砖头，一不小心就可以砸死一个。教授的女人自然比牛毛还要多。成群的女人中，罗宓是最漂亮、最让人眼馋的一个。所以，我特别喜欢和罗宓打交道。我给她打了一个电话，说我正在写嫦娥下凡，想和她讨论讨论。罗宓很感兴趣，让我快点过去。她单独租了一套房，房里二十四小时供应热水。就冲着那热水，我就应该去一趟。我不是同性恋者，不喜欢泡学校的大池子——和众多光身子的男人挤在一起，我总担心受到侵犯。

关于离题

我在浴室里洗澡，罗宓在外边翻阅我的文章，说：“你写的都是些什么啊？下笔千言，离题万里。这是作文的大忌。听我的话，你要好好改一改。”我在浴室里，一边往身上抹香皂，一边说：“我不准备改，因为我现在喜欢下笔千言，离题万里。”“不行，我们得讨论一下，”罗宓说，“得商量个解决办法。”眼看她要来真的，我就说，那看上去是离题，其实不是，它们都是些必要的注释，因为侯后毅说了，要有注释。罗宓说她分辨不清哪些是注释，哪些是文本，只好把许多段落当成离题。我对她说：“如果你非要把它们看成离题，我也不会强烈反对。”隔着一道门，罗宓要和我讨论哪些是离题。我不想和她讨论什么离题，只想讨论嫦娥下凡，以及怎样才能证明侯后毅就是夷羿的转世。可还来不及展开讨论，罗宓就把门踢开了。当然，这和我的暗中相助不无关系，在她踢门的时候，我悄悄拉开了门上的插销。罗宓跌跌撞撞地进来了，一进来就说：“不行，这里太热了，闹不好会感冒的，我得把毛衣脱掉。”脱毛衣时，我看到了她腋窝里的毛。那些毛和嫦娥的毛应该没有什么重大区别。当然，如果真的去找差别，那也不是找不到。比如，我就发现眼前的毛属于二茬毛，是用过消毛霜之后重新长出来的，摸上去稍微有点刺手。

讨　论

我和罗宓本来是要讨论嫦娥下凡，以及侯后毅就是夷羿的转世，但是，我们却没能就此问题展开讨论，原因是，我们很快就沉浸到了肉欲之中。也就是说，我们离题了。罗宓虽然反对我在写作中的离题，但她这会儿，却用实际行动表明了她对离题的热爱。当她骑到我身上时，我再次注意到了她腋窝里的毛毛。直到这个时候，我才重新想起我来这里的主要目的，并不是要和罗宓欢爱，而是要与她讨论嫦娥和侯后毅的问题。

我对罗宓说："我正在论证侯后毅就是夷羿转世。如果侯后毅是夷羿，你就是宓妃；话也可以这样说，如果你是宓妃，那侯后毅就一定是夷羿。这二者相辅相成。"罗宓说："关于我是宓妃的问题，不需要讨论，因为这是不证自明的，你尽管写到文章中去。"我对罗宓说："你得考虑好了，我把这篇文章写完以后，嫦娥就会和侯后毅生活到一起，到时候，你的教授夫人就当不成了。"罗宓说她对此并不担心，因为侯后毅是不会和一个癞蛤蟆生活在一起的，到头来，还得乖乖地回到她这里。照她的说法，到了那时候，她还会是教授夫人，还能继续和我维持这种关系。罗宓最后说，事实上，她现在正等着侯后毅死，好获得一笔丰厚的遗产。当我问她怎么知道嫦娥变成了一只癞蛤蟆的时候，她提醒我考虑：如果嫦娥还是一个美人，侯后毅早就把她从旅馆里领出来，招摇过市了。接着她告诉我，她已经到旅馆里看过嫦娥了。白天，嫦娥是一个美人，可是到晚上睡觉的时候，她就成了一只蟾蜍。这么说的时候，她还拿出了一幅照片。我看了吓了一跳，因为那上面确实有一只蟾蜍。

蟾蜍

作为一条注释，我在文章中写道，嫦娥有两副面孔，一副是美人，一副是蟾蜍。我还写道，罗宓已经到旅馆里见了嫦娥，在她眼里，嫦娥就是一只蟾蜍。

汉人的画像砖里，有对嫦娥变成的蟾蜍的描绘——她直立着，前腿握着一只石杵。

史书记载，嫦娥是奔月之后变为蟾蜍的。前面曾引天文学家张衡《灵宪》中对嫦娥奔月的记载，里面说，大占卜家有黄给嫦娥算卦的时候，对她说："吉。翩翩归妹，独将西行，逢天晦芒，毋惊毋恐，后且大昌。"我引述时漏掉了最后一句话，漏掉的一句是："嫦娥遂托身于月，是为蟾蜍。"而侯后羿之所以不知道嫦娥变成了蟾蜍，是因为自从嫦娥下凡以来，他还没有和嫦娥在一起睡过觉。至于接待嫦娥的曲平，她就更加不知道了，因为她只是白天和嫦娥待在一起，晚上要回来复习功课，准备参加博士考试。

《太平御览》卷四引《春秋演孔图》说：蟾蜍，月精也。《淮南子·精神训》里也说：日中有踆乌，月中有蟾蜍。还是这个《淮南子》，在《说林训》中又说：月照天下，蚀于蟾蜍。意思是，之所以会有月食，就是因为蟾蜍在月中作怪。也就是说，说来说去，嫦娥终究变成了一只蟾蜍。

本 事

考证出嫦娥变成了蟾蜍，我非常高兴。如果嫦娥成了一只蟾蜍，那么侯后毅就不需要再找嫦娥了。这对我来说，不能算是坏消息。因为这样一来，侯后毅就不会再让我写嫦娥下凡了，也就会在我的博士论文上签字了。反正他让我干什么，我都干了，已经很够意思了。嫦娥变成蟾蜍又不是我的错，他没有理由拿我出气。当然，我最高兴的是，我没有必要再为嫦娥痛苦了。说句心里话，自从得知嫦娥下凡以来，我就没有睡过一个安稳觉。一想到嫦娥要被侯后毅霸占，我心里就不舒坦，连和罗宓相好的乐趣都没有了。

所以在“嫦娥下凡”里，我引用了原来写的论文《嫦娥奔月》中的一段，写嫦娥之所以会变成蟾蜍，是因为它吃了西王母的不死药。按照中国的“药”的概念，所有的药物都是以毒攻毒的。西王母的不死药中，一定含有更多的毒素，否则不会起到起死回生的功效。可正因为其毒性太大，吃了这药的人，浑身就会长出蟾蜍身上才有的饱含毒液的痱磊。据《太平清话》记载，蟾蜍的背上会长出灵芝草，并说：它拱着背，鼓着双目，以吸取日光。众所周知，月亮是地球的卫星，它本身并不发光，其光亮来自太阳的反射，而地球上的光亮为日光。由此可见，背上长着灵芝草的蟾蜍，即为月亮上的蟾蜍，是由嫦娥所变。所以，嫦娥下凡时，背上长的不是翅膀，而是一株灵芝草。我写这篇《嫦娥奔月》时，侯后毅还没有给我讲过“二硬方针”（既要实事求是地考证，又要合理地想象，两手都要硬），但我无师自通，写出了这一段。不过，既然侯后毅现在已经给我讲过了“二硬方针”，他要是表扬我写得好，我就要对他说：“不是我写得好，而是你指导得好，如果没有那‘二硬方针’，我写死也写不出来。”

辨　伪

侯后毅不但没有表扬我，反而说我没有实事求是。他说：实事求是就是辨伪。要当一个合格的历史学家，辨伪的功底一定要扎实，来不得半点儿虚假。这是因为，历史研究不是请客吃饭，而是科学。他提醒我，嫦娥变成蟾蜍，既是道德主义者和阴阳学家的穿凿附会的产物，又是外来文化影响的结果。对此，一定要用实事求是的精神，由表及里，由此及彼，去伪存真，还历史真面目。

根据侯后毅的提醒，我对文章做了修改。我写成奔月之后的嫦娥并没有变成蟾蜍，只有道德主义者才会故意那么说。而事实就是事实，是无所谓道德不道德的。说嫦娥变成蟾蜍，是因为蟾蜍在人眼中是丑陋的。它口大身短，谈不上什么身材，全身还长满了疖磊，疖磊里面还存满了毒液。《诗经·新台》里说：“鱼网之设，鸿则离之；燕婉之求，得此戚施。”照郭沫若先生的翻译，这首诗是说：鱼网张开打鱼虾，打到一只癞蛤蟆；心想配个多情哥，配上了个驼背爷。可见，在国人眼中，蟾蜍是丑陋的象征。莎士比亚在《查理三世》里说：再没有比这更毒的腐臭的蟾蜍了，我再也不愿见到你，因为你会使我的眼睛倒霉。可见，西方人也讨厌蟾蜍。而我们知道，嫦娥是个美人。美人不光脸蛋长得好，还应该是樱桃小口；美人的身材也一定很窈窕；还有皮肤，美人的皮肤也很关键，总之应该是天生丽质。美人之美所具备的这些基本要素，和蟾蜍之丑所具备的各项指标，刚好相对。道德主义者把最美的人说成一只蟾蜍，无非是要表明他们对嫦娥奔月的谴责，谴责她把夷羿一个人孤零零地留在尘世。写到这里，我还突然明白了一个基本事实——唾沫星子淹死人，也就是说，语言的力量是无穷的。正是由于他们众口铄金，嫦娥才一去不返，不再光顾我们这个世界，这导致了有穷后羿和钟馗都没能见到嫦娥。

侯后毅还说，嫦娥变成了蟾蜍一说，是外来文化影响的结果，即中国的月亮和蟾蜍并没有太大的关系，和蟾蜍有关系的是外国的月亮。我查了查史料，发现事实果真如此。

Rahn的故事

据吠陀文献记载，有一天，天神们聚会在须弥山，讨论怎样才能长生不死。一个叫毗湿奴的神说：让我们去找阿修罗吧，一起去搅拌大海，从海中提炼玉液琼浆，也就是不死药。他们以一座山作为搅拌用的大棒，搅拌摩擦，引起了火灾。大火把山上的树木花草、飞禽走兽都烧死了。后来又下了一场大雨，雨水把山上的灰尘都冲到了海里，提高了海水中不死药的药效；搅拌后的海水变成了奶，奶又变成了油脂，最后，借助众神的力量，海水中终于提炼出了不死药。阿修罗家族的人，一看见不死药，就蜂拥而上，都想把它独吞了。那个叫毗湿奴的神见势不妙，就立即变成了一个绝色美人。哲学家布里丹曾说，把一头驴放在两个草堆之间，它肯定会饿死，因为它不知道先吃哪一堆草。现在，阿修罗们就成了布里丹之驴，不知道该选择哪一个好。不过，他们后来还是选择了美人，想着和美人先睡上一觉再说。这是因为，之所以要长生不死，还不是为了多睡几个美人。于是，为讨得美人的欢心，他们把不死药交给了变成美人的毗湿奴。但是转眼之间，美人和不死药都不见了。只有一个叫 Rahn（罗侯）的人，知道不死药的去处。这个 Rahn 扮成天神，悄悄地接近了不死药。太阳神和月亮神发现了他的伪装。毗湿奴发火了，将 Rahn 的头砍了下来。不过，Rahn 刚刚吃了不死药，那药还在喉咙里没有咽下去，所以他的身子死去了，头却永远不死了。只剩下了头的 Rahn，恨死了太阳和月亮，就到处追逐他们。有时他抓住了太阳和月亮，想吞下去，就形成了日食和月食。

现在可以认定，我们说的“月中蟾蜍”和“蟾蜍食月”，指的就是 Rahn。Rahn 只有头，没有身子，而我们的蟾蜍也是头大身短，全身几由嘴巴构成。Rahn 的汉译“罗侯”也与蟾蜍的发音相近。至此，我们可以得出这样一个结论，嫦娥变蟾蜍一说，是由 Rahn 逐月的故事演变而来的。

附带说一下，还有一种说法，说嫦娥奔月之后变成了玉兔。为此，民间一直有祀兔的传统，祀兔就是拜月。这种说法虽然没带道德主义的色彩，但它同样是穿凿附会的产物，不可相信。刘熙在《释名》里说：月，缺也，满则缺也。晋代的崔豹在《古今注》里说：兔口有缺。柳宗元在《天对》里说：玄阴多缺，爰感厥兔，不形之形，惟神是类。柳宗元只是拿兔的豁嘴来形容月阙，但并没有说月中有兔，更没有说嫦娥变成了玉兔。至于说嫦娥既是玉兔又是蟾蜍，显然是后世阴阳学家对阴阳平衡的考虑。刘向在《五经通义》里说：月中有兔与蟾蜍，何？月，阴也；蟾蜍，阳也，而与兔并明，阴系阳也。所以，说来说去，嫦娥还是那个激发诗人灵感的大美人。只是由于夷羿不在身边，所以她难免有些寂寞。陈陶在诗里说：“孀居应寒冷，捣药青冥愁。”毛泽东在《蝶恋花·答李淑一》里也说：“寂寞嫦娥舒广袖，万里长空且为忠魂舞。”可见，嫦娥就是一个诗意的象征，和蟾蜍一点儿关系也没有。

参考书目

侯后毅随手给我开了一个参考书目。他说：有关他（夷羿）和嫦娥的故事，都记载在这些典籍之中。只要熟读了这些典籍，就能够搞好“一凡二硬”：

《诗经》《尚书》《左传》《国语》《庄子》《孟子》《列子》《荀子》《尸子》《韩非子》《易传》《楚辞》《吕氏春秋》《战国策》《淮南子》《史记》《穆天子传》《新语》《说文》《列女传》《列仙传》《说苑》《世本》《白虎通》《越绝书》《吴越春秋》《论衡》《皇览》《古史考》《高士传》《帝王世纪》《华阳国志》《山海经图赞》《神仙传》《抱朴子》《搜神记》《搜神后记》《南方草木状》《古今注》《博物志》《后汉书》《竹书纪年》《述异志》《水经注》《李太白集》《柳河东集》《金楼子》《文选》《玉烛宝典》《北史》《艺文类聚》《独异志》《北堂书钞》《轩辕本纪》《酉阳杂俎》《岭表录异》《史通》《中华古今注》《太平御览》《太平广记》《尔雅》《梦溪笔谈》《成都记》《尔雅注》《路史》《册府元龟》《太平寰宇记》《通志》《异域志》《文献通考》《芸窗私志》《河图始开图》《礼含文嘉》《龙鱼河图》《三国演义》《水浒传》《西游记》《汤显祖集》《红楼梦》《女神》《鲁迅全集》《毛泽东诗词选》《历史考》，等等。

这些典籍都是中华文明的瑰宝。它们的作者，都是我们历史上的经典作家，是我们的民族魂：

孔子、左丘明、庄周、孟轲、列御寇、荀况、韩非、尸佼、吕不韦、刘向、刘安、司马迁、陆贾、许慎、东方朔、班固、王充、郭璞、葛洪、范晔、郦道元、萧统、欧阳询、李商隐、柳宗元、李白、沈括、汤显祖、鲁迅、郭沫若、毛泽东、侯后毅，等等。

侯后毅对我说：写完嫦娥下凡，毫无疑问，你和你的书也会进入经典行列。

《历史考》

关于书目中出现的《历史考》，需要加一条注释。它为侯后毅所著，是历史学研究的重要收获。一个人要想成为大历史学家，必须解决几个疑难问题。侯后毅解决了许多疑难问题，所以他成了一个大历史学家。解决也就是前面说的辨伪，即实事求是地还历史的本来面目。

写博士论文的时候，有一天我在图书馆翻阅一本书，叫《历史备忘录》。那本书很厚，要想摸到它的封皮，就得爬到梯子上去。它的书皮好像是马粪纸，其实不是，而是地地道道的羊皮纸，有一股刺鼻的羊膻味。为防备老鼠拿它磨牙，工作人员下班时得在它周围放许多只鼠夹子。据说最多的一次，他们在鼠夹子上取下了十只老鼠。那天我爬上去，还碰到一只老鼠正夹在那里呻吟不止。我拂掉上面的老鼠屎，稍微一翻，就看到了侯后毅的几篇文章。那几篇文章都选自《历史考》。我看了其中一篇，名叫《历史考·夔一足》。据周代的尸佼和韩非子的记载，夔是黄帝手下的乐官，他只有一只脚。

孔子曾经研究过“夔一足”。据《太平御览》和《吕氏春秋》记载，孔子和鲁哀公关于“夔一足”曾经有过一段对话。

鲁：乐官夔是不是只长了一只脚啊？

孔：不是。当时的皇上，欲以乐感文化传教于天下，他找到了夔，让他当上了乐官。夔于是正六律，和五声，以通八风，天下果然大服。有人对皇上说：乐感文化这么厉害，我们何不再找几个人，组织一个音乐家协会，把乐感文化推向新的高潮？皇上说：不了，一个夔就够使了。所以，史书上说的“夔一足”，是讲一个夔就够了，不需要另找他人的意思。

鲁：听君一席言，胜读十年书。好吧，就形成个决议发下去，以后“夔一足”还是“夔二足”的问题，就这么定了。

侯后毅的研究结果与孔子的不同。按照侯后毅的研究，乐官夔确实只有一只脚。不过，他并不是天生就是一只脚。他和我们一样，也有两只脚，只是后来被打断了一只。侯后毅的文章是这样写的：

夔，原是一种独脚兽。《庄子·秋水》里说，夔曰：吾以一足而行。《山海经·大荒东经》里说，夔住在东海的流波山。它的形状像牛，颜色像苍龙，但头上无角。它叫唤起来就像打雷一般，所以它又叫雷兽。黄帝手下的一个人向黄帝建议，把夔的皮揭下来制成鼓，必定声若雷鸣，威震四方，使万民归顺。黄帝觉得言之有理，就让这个人去办。这个人果真用夔的皮制成了一面鼓，但奇怪的是，鼓并不像原来所设想的声若雷霆。黄帝佯装大怒，欲以欺君之名将这个人处死，但又说：念你随朕多年，就暂时饶你不死，剁你的一只脚算了。剁掉这个人的脚之后，百官都慑服于黄帝的威严，后来无须敲鼓，万民就纷纷归顺了。这个人现在丢了一只脚，再也不能冲锋陷阵了，黄帝就任命他为乐官，掌管所有乐器。因为这个人像夔一样只有一足，他也就被人称为夔。此乃乐官"夔一足"的由来。

邮购信息

鉴于许多读者在遇到历史的疑难问题时，都会有百思不得其解之感，我就顺便在此发布一条邮购信息。若需要购买《历史考》，请将汇款寄到汉州大学历史研究所，并注明冯蒙收。之所以不写侯后毅收，是因为侯后毅即将随嫦娥奔月。

我的理想

我现在写的是嫦娥下凡。如侯后毅所说，要是写得好，我也可以成为一个大历史学家。前面说到，大历史学家都是解决疑难问题的。我现在已经想好了，成了大历史学家之后，我还要继续解决疑难问题。下一步，我要重新研究“夔一足”。我的思路是这样的：夔在河里的时候，是一头兽，爬到岸上以后就成了乐官。也就是说，夔既是兽，又是人。最好的办法，是让它成为人面兽身。在中国搞历史研究，历来是只有想不到的，没有做不到的。这话也可以这样说，只要你想到了，通过考证你就能做到。说时迟，那时快，我刚想到人面兽身，就在书上找到了依据。郭璞注《山海经·大荒东经》说：雷兽，即雷神，人面兽身。既然当兽的时候是一只脚，那么当人的时候，也应该是一只脚。不过，我现在还不能把我的考证公布于世。这是因为，中国的历史是以一个人的寿命为界限的。只有那个人死了，他所作出的历史结论才能更改。侯后毅既没有死，也没有奔月，所以，他研究出来的“夔一足”就是历史上的夔一足，只有当他死了，我的“夔一足”才是历史上的夔一足。

顺便说一下，关于“夔一足”，曲平也有自己的研究。她也知道历史是以一个人的寿命为界限的，侯后毅还没有死去，所以她也只是私下里说说，并没有形成文章。她的研究是这样的：夔一足，指的其实不是夔只有一只脚，而是指夔一只脚也没有，有的只是一根男性生殖器。她的思路是这样的：夔在河里当鱼的时候，就没有脚，到了地上当乐官，还是没有脚。但它无论如何都得有生殖器，否则是说不过去的。既然鸟三足中有一足是指生殖器，那么夔一足，指的也应该是生殖器。我是因一个非常偶然的机会，得知曲平也从事这项研究的。有一次侯后毅和罗宓去外地开会，把家里的钥匙留给了曲平。晚上，我也去了导师家里。门没有锁上，所以我径直进了房间。

我听见厕所里有水声，就踮着脚往里面看了看。曲平正在一边照镜子一边洗澡。她从里面出来，我就请她去跳舞。跳舞的时候我就摸了一把她的乳房。她说："你可别惹我，我这会儿正是性冷淡。"后来我们坐到舞池旁边喝茶。我说："别装蒜了，我都看见了，你在厕所里玩自己的乳房。"曲平说："它长在我身上，我想怎么玩就怎么玩，你管不着。"我说："那不行，治好你的性冷淡，我是有责任的。"曲平说："你有办法，说出来听听啊。"我说："要想揽到瓷器活，必须有那金刚钻，你和我睡一觉，就知道我有没有办法；光凭嘴说是不行的，必须理论和实践相结合。"曲平说："别吹牛了，你那玩意儿能比得上夔吗？夔没有脚，但这不要紧，他的阳物既可以当脚用，还可以敲鼓，把鼓敲得声若雷鸣。《绎史》里说，敲一下，声音可以传五百里；连着敲，可以传到三千八百里。”曲平告诉我，权威刊物《女权分子》邀她写一篇文章，她就准备写这个，题目可以取为《“夔一足”与男权的没落》。但她又说，她想了想，这篇文章暂时还得放一放，等时机成熟了再动笔。曲平说的时机成熟，包括两项条件：一是她考上了博士；二是侯后毅死了。当然，现在看来，第二项条件也可以改成侯后毅奔月。

桂花酒

侯后毅打来电话，让我马上过去一趟，说要和我谈谈。他说话的口气很温和，以前从未有过，我不能不感到受宠若惊。我连忙带着已经写好的稿子，往他家里赶。一进客厅，我就闻见一股沁人心脾的香气。我还以为那香气是从罗宓身上发出来的。等我坐下，我才知道那香气来自茶几上的杯子。侯后毅说：“发什么愣，端起来喝吧，饮料就是给你准备的。”我喝了一口，顿觉神清气爽，牙缝里都是那种清香。我问侯后毅：“这是什么饮料，我怎么从来没有喝过？”侯后毅说：“你当然没有喝过，因为这是桂花酒。”

我当即拿出笔记本，垫在膝盖上，写明嫦娥送给了侯后毅一瓶玉液琼浆。我刚刚写完，罗宓从房间里出来了。不管怎么说，在侯后毅面前，罗宓就是我的师母。我连忙站起来，对她说：“此酿只应天上有，你也来尝尝吧。”罗宓说：“这是你的导师专门给你留下的，你就别客气了。”我又问：“曲平是否也喝过了?”侯后毅说：“别管她，她既然在陪嫦娥，那嫦娥是不会亏待她的。”听他这么一说，我就再次向他提出，我也想见一下嫦娥。侯后毅说：“要干一行爱一行，干革命工作的人，就应该像个螺丝钉，哪里需要往哪儿冲；你的工作也很重要，因为你是在记载历史。”为了安慰我，他又对我说，他已经给 *Mythos* 杂志的人写过信了，他们很快就会把《息壤考》发出来。等我的嫦娥下凡写完了，他让他们也发一下。说着，他从后兜里掏出一封信递给我。信是从纽约寄来的，里面夹着一本 *Mythos* 杂志，最后一页的下期目录预告上，果然印着我的名字。

The Study of the Growable Earth——Feng Meng，China

（《息壤考》——冯蒙　中国）

我很高兴，再加上桂花酒确实是不可复得的佳酿，就多喝了几杯。侯后毅说他得再去和嫦娥谈谈，说着就走了。房间里只剩下我和罗宓两个人。我感到身上发热，手都有点颤抖。透过玻璃窗，我看到侯后毅穿过楼下的草坪，消失在另一幢楼的后面。那里现在是一片寂静，就像历史上的每一个时辰，在喧闹的另一面就是虚空。

对桂花酒的考证

众所周知，月宫中有桂树，所以月宫又称为桂宫。沈约《登台望秋月》诗里说：“桂宫袅袅落桂枝，露寒凄凄凝白露。”桂花酒是月亮上的特产，所以毛泽东在《蝶恋花·答李淑一》一词里说：“问讯吴刚何所有，吴刚捧出桂花酒。”喝完酒之后，我和罗宓都有点孟浪，这不能不让我怀疑桂花酒有某种催性的作用。

月亮上的桂树和尘世的桂树一定有某种相似之处。李时珍的《本草纲目》中，与“桂”有关的词条有二。

一曰“桂”。

> ［气味］甘，辛，大热，有小毒。
>
> ［主治］利肝肺气，心腹寒热冷疾，霍乱转筋，头痛腰痛出汗，坚筋骨，通血脉。久服，神仙不老，补下焦（肚脐以下——冯注）不足。春夏为禁药，秋冬下部腹痛，非此不能止。补命门（两肾之间——冯注）不足，益火消阴。

二曰“菌桂”，即小桂。

> ［气味］辛，温，无毒。
>
> ［主治］百病，养精神，和颜色。久服轻身不老，面生

光华，媚好常如童子。

由此可见，“桂”不光有滋阴壮阳之效，还可以美容。照此说来，桂花也应该有同等之效。这起码可以说明两个问题：一是我和罗宓之所以在侯后毅刚刚离去，就抱到了一起，是由于桂花酒的催情；二是嫦娥之所以还是一个大美人，能身轻如燕地从月宫飞回来，除了西王母的药的作用，还有很重要的一个原因，即她喝的饮料就是桂花酒。

嫦娥的动静

罗宓让我去叫曲平，打听一下嫦娥最近有什么动静。她的指示正合我意。这是因为，照侯后毅的说法，曲平也喝了桂花酒，所以我想，曲平的性冷淡一定会有所好转。对此我不能不关心，因为我以前是曲平的老师，现在是她的师兄，对她关心我是责无旁贷，但我能不能把她叫出来，我没有把握。曲平住的是研究生公寓，看门的阿姨从来不放我进去，理由是我是个男的。她的逻辑是只要男的进去，就会和女生们通奸。上一次，我对阿姨说，我要找的曲平是个性冷淡，所以我肯定不会和她通奸的。但阿姨还是坚持真理，绝不让步。我问在什么条件下，我才能够进去，阿姨说只有两个条件：一是变成个女的；二是长出翅膀从窗口飞进去。变成一个女的倒很容易，可如果变成了女的，曲平是否性冷淡就不关我的事了。也就是说，我没有理由再在这里磨蹭。关于长翅膀的问题，我是这样考虑的：如果我长有翅膀，我绝对不会在这里磨蹭，我一定飞到嫦娥住的旅馆，把侯后毅扔到一边，和嫦娥一起飞走。

后来，曲平自己来了。看到我和罗宓单独在一起，她的笑意立即变得隐秘起来。因为有罗宓在场，我没有问曲平性冷淡的问题，只是问她是否喝了桂花酒。曲平说，当然喝了，跟嫦娥待在一起，还能不喝？罗宓这时候插了一句："既然嫦娥给老侯送了桂花酒，是不是说明嫦娥已经认可他就是夷羿转世了？"曲平说："这倒不是，她一直没有最后确定，所以侯先生才很着急。"罗宓又问："那她干吗要送他桂花酒呢？冯蒙已经考证出来，桂花酒是一种春酒，给老侯送春酒，意思不是明摆着的吗？"曲平说："那她送我桂花酒，又该如何解释呢？"我对曲平说："这很好解释，这说明嫦娥是个双性恋，想把你们的情欲撩拨起来，同时与你和侯先生共沐爱河。"但曲平的反驳很有力，她说，史书从来没有嫦娥是双性恋的记载。

问到嫦娥最近的动静，曲平说："嫦娥对侯后毅说了，'你说你就是夷羿的转世，但我怎么没有见到洛神呢？'"众所周知，夷羿和洛神是有一腿的。照曲平的说法，侯后毅一下子就傻眼了，支吾了半天，也没有说出话来。看到他那种没出息样，嫦娥又倒过来安慰他说："我不会责怪夷羿的，我要是和他一般见识，就不会到尘世来找他。"

洛 神

他们果然提到了洛神。洛神也就是宓妃。关于洛神的身世，有两种说法。一种说法来自《汉书音义》，里面说宓妃是伏羲的女儿，后来溺死于洛水，遂为洛神；另一种说法来自《路史》，里面说她是伏羲的妃子，所以又叫伏妃。这两种说法各执一端，强调的可能是同一个问题的两个侧面。把这两种说法综合起来，就可以得到一个结论：宓妃在成为洛神之前，既是伏羲的女儿，又是伏羲的妃子。这种情况很常见，尤其是在大人物身上经常发生。二十世纪最后一个春节前后，有一部叫《雍正王朝》的电视剧陪伴着全国人民过了一个好年。历史上的雍正除了大搞“文字狱”，还把私生女纳为妃子，但这并不影响雍正享有“好皇帝”的口碑。

我在注释里写道：正像夷羿死后又多次转世一样，宓妃死后也有过多次转世。最有名的一次转世发生在三国时代。《文选》李善注曰：她转世成为甄逸女，她的美貌让曹植着了迷，但甄氏却受曹操之命嫁给了曹丕。曹植见不到甄氏，郁郁寡欢，只好借酒浇愁。但偶然的一次机会，曹植在洛水之滨见到了甄氏。据《三国志》记载，此事发生在公元二二三年，即黄初四年。曹植问身边的御者：那立于河边的美人到底是谁？御者皆说：是洛神。曹植遂作《洛神赋》。但是此赋的序中，曹植将此事的时间作了修正，改成了黄初三年，即公元二二二年。

我从京城跑回来，来到洛河
见到一个美人站在那河石边
问了问手下人那个美人是谁
说就是让我彻夜难眠的洛神
我得把这事完整地记载下来
为了不让我哥哥把我整死
很有必要修改一下具体时间
这么着吧，改成公元二二二年
让那混蛋王兄不知其所以然

她呀，翩若惊鸿，婉若游龙
从远处望，皎若太阳升朝霞
从远处看，灼若芙蓉出绿波
她的身材呀，是标准的三围
她的脖子呀，就像那白天鹅
她呀，丹唇外朗，明眸善睐
嘻嘻一笑，还有两个小酒窝
……

宓妃转世为甄逸女之后，和上次一样，她又掉到河里淹死了。她再次转世，成为罗宓，也就是侯后羿的妻子。也就是说，罗宓也是生于来世。和曹植的描写完全相符，罗宓也有一对小酒窝，也有标准的三围和白天鹅一样的颈项。如前所述，在写嫦娥下凡的过程中，我习惯于和她讨论问题，可是不知不觉地，我们就到了床上，或者滑进了浴缸。罗宓对我说，嗨，快看看我的三围，我最近喝了某某牌减肥茶，很管用的。瞧我这个动作，曹植要是在场，肯定会说这就叫芙蓉出绿波。曹植不在场，但我也可以说那就是芙蓉出绿波。因为罗宓的裙子是绿色的，在壁灯照耀下，随着她身体的扭动，确实是绿波荡漾；她的内裤比芙蓉花瓣大不了多少，而且就是芙蓉花瓣的颜色。

对《洛神赋》的研究（节选）

我在论文《嫦娥奔月》中，也引用了《洛神赋》，并做了一番研究。古今中外，所有史诗的诞生，都因为有一个女神的存在。比如曹植，如果没有洛神，他只能去写苦如黄连的《七步诗》。比如但丁，如果没有贝雅特丽齐，他就不可能写出《神曲》。女性，在西方诗人的笔下，是一种提升的力量。正如歌德在诗里所说：永恒的女性，引领我们上升。在东方诗人，如曹植和屈原（洛神也是他的梦中情人）那里，女性是一种情欲的化身。曹植所描写的洛神，其标准的三围，外朗的丹唇，白天鹅一样的颈项，使其从神性人物降格为尘世的美人。一方面，曹植是要通过对洛神的描写，完成对她的占有，也就是意淫。所以，歌德那句诗翻译成中文，可以改为“永恒的女性，引领我们勃起”。与此相关，在另一方面，曹植是要通过对洛神的意淫，来建立自己的神格，起码要建立起自己和神的谱系之间的联系，即要把自己镶嵌到历史中去。如果这也算是一种提升，那么这实际上是东西方诗人提升自己的方式的差别。

我写嫦娥下凡，也是在写这一部史诗。但这部史诗不是为自己写的，而是在侯后毅的指导下写的。也就是说，我得通过自己的文字让侯后毅完成对嫦娥的占有。

关于我自己

写嫦娥下凡的同时，我发现自己越来越深地搅入了这个事件当中，而这正是我事先所没有料到的：既然侯后毅是夷羿转世，那么作为侯后毅的学生，我就是逢蒙还阳，即史书上说的那个杀掉了夷羿的人。

我的档案存放于汉州大学的档案室，上面用毛笔写着：名字冯蒙，性别男，国籍中国；二十世纪六十年代出生，二十一世纪前期的某一天死去；原在汉州师范大学历史系教书，后被侯后毅先生招到门下，在汉州大学读研究生，又读博士，因博士论文《嫦娥奔月》未获通过，故至今仍滞留在汉州大学。

在二十世纪的最后几年，我在汉州师范大学教书的时候，每年新生报到后的第一节历史课上，我自己经常这样对学生们作自我介绍，说我生于六十年代，将在二十一世纪前期的某一天死去。通常情况下，我话一出口，就会有人大笑起来。笑是一种认同，所以他们的笑声让我很得意。可有一个女学生却对我的讲话没有反应。上课的时候，她经常长时间望着窗外。她忧戚的面容渐渐引起了我的注意。我后来知道，她名叫罗宓，是来旁听的。除此之外，没有人知道她的经历。我也得知，在我讲课的时候，她没有打瞌睡已经给了我很大面子。因为别人上课的时候，她通常都要睡觉。她身上的那种神秘气质，以及天生的美貌，仿佛有一种拒人千里之外的力量，使得心怀鬼胎的教师们不敢批评她。有一个教现代史的教师告诉我，他对罗宓的美貌简直着迷了，有点不能自拔，特别是当罗宓趴在桌子上睡着的时候，她的美更是让人迷狂。

这个教师说得没错。我对罗宓的美貌也很着迷。渐渐地，我对别的学生听课的反应已经毫不在意，而只注意罗宓一个人了，我甚至巴不得罗宓趴到桌子上睡觉，好让我一睹她那能让人迷狂的睡相。因为罗宓，我每次备课都非常认真。别的教师因为罗宓而有点心慌意乱，而我却尽量讲好。即使罗宓面对着窗外，似乎一句也没有听进去，我也是如此。有一天，有一个陌生人走进教室，在最后一排坐下了。那个陌生人在听课的时候，也有点神不守舍，还不停地和陪他前来的系主任窃窃私语。那时，慕名前来听课的人很多。当然，他们大多是慕名而来，失望而归，还有人事后说我讲的许多内容都是胡说八道。当时，看见那个陌生人和系主任窃窃私语，我也懒得去想他们在议论什么。我只在乎倚窗而坐的罗宓。

那一天，为了解释一个问题，我引用了《资治通鉴》里的一段话。该讲的内容都讲完了，可是下课时间还没有到。为了把那段时间打发过去，我顺便提到了《资治通鉴》的“鉴”字。我说，鉴就是镜子。盛水的陶盆叫监，铜盆叫鉴。“监”古字写法为“監”，正是一个人趴在水盆旁边照容的象形。传说镜子是黄帝造的，黄帝共造了十五面镜子，第一个直径是一尺五寸，法满月之数，其余的依次递减，最后一个直径刚好是一寸。黄帝为什么要造镜子呢？因为在此之前，一个和嫦娥齐名的美人，在河边用水照容的时候突然失足淹死了。她就是后来的洛神，也就是宓妃。我之所以讲这个故事，就是因为罗宓的名字里刚好有一个“宓”字。是的，我是在想方设法引起罗宓的注意。那一天下课之后，那个陌生人在门口拦住了我，说有事要和我谈谈。他告诉我，他想招我当他的研究生。“你是叫冯蒙吧，”他说，“我在许多年前就知道你了。”我当时以为他所说的“许多年前”，只是初次见面时的一种客套。现在我们都已经知道了，那个人就是侯后毅，就是夷羿的转世。而我就是夷羿弟子逢蒙的还阳。我们师徒穿越历史的时空，在二十世纪行将结束的时候，再次相逢了。后来，侯后毅果真招我当了他的研究生。

讨 论

我想和罗宓讨论的正是这样一个问题：如果我是逢蒙的转世，那么我必定得杀死侯后毅，就像当初逢蒙杀掉夷羿、寒浞杀掉有穷后羿一样。而我要想避免手上沾满侯后毅的鲜血，看来只有一条途径，即侯后毅马上跟着嫦娥一起走掉。

对我来说，杀掉侯后毅，还真是有些理由。我简单地想了一下，理由至少有这么几条：

(1) 他至今赖着不在我的论文上签字，使我无法如期毕业，影响了我日后的职称晋升；

(2) 他夹在我和罗宓之间，非常碍事，使我们做爱时放不开手脚；

(3) 他要是不死，我的有关"夔一足"的研究成果就无法问世，我也就当不成大历史学家；

(4) 他诱使我来写嫦娥下凡，使我对嫦娥也着了迷；

(5) 他早就是一个要死的人了，却一直不死，让人想起来就不舒服。

除了第四条，其他几条我都当作议题拿出来和罗宓讨论。罗宓说她反对我对侯后毅下手。她说她并不是念及夫妻之情才反对我这么干，而是为了我好。她的理由是：如果我干掉了侯后毅，那么我的余生将在狱中度过，到那个时候，什么都将鸡飞蛋打。至于她和我通奸，她说她喜欢的就是那种偷偷摸摸的乐趣。她用抒情的语调对我说：多么刺激啊，何乐而不为呢？如果侯后毅现在死去了，那么我对你的兴趣将可能减去一半。她提醒我仔细回想一下，偷偷摸摸是否也给我带来了乐趣。我琢磨了一下，觉得罗宓说得很有道理。但我不能不向她表明我的忧虑，即侯后毅迟早会发现我们的“故事”。可罗宓说，那就让他发现好了，他是个历史学家，应该发现事物的真相。

经罗宓这么一说，我杀侯后毅的念头就暂时消失了。我还倒过来劝罗宓搬回去住，不要再生侯后毅的气，因为嫦娥是自己下凡的，不关侯后毅的事。罗宓戳着我的额头说：“你真是小傻瓜，我干吗要生他们的气，我巴不得嫦娥把他认下，送给他不死药，这样我就可以一辈子过通奸的日子。”

本　事

侯后毅原来担心罗宓不愿意承认自己是洛神，但见到我的文章之后，他放心了。他主动找到了罗宓，说要带她一起去见嫦娥，并说这样一来，嫦娥就无话可说了，只好乖乖地承认他就是夷羿转世。“不是冤家不碰头，看在我们夫妻多年的情分上，你就随我去见她一面吧。”看到侯后毅那可怜兮兮的样子，罗宓就随他去见了一次。罗宓和嫦娥见面的时候，曲平也在场。下面是曲平对此事的记述。

[旅馆。厚厚的地毯。嫦娥正在闭目休息。我正用刷子替嫦娥刷洗桃子上的绒毛。她喜欢吃桃子。轻轻的敲门声。接着，侯后毅的头从门缝里伸了进来，像个大秃瓢。]

侯：（小心翼翼地，慢步上前）恒娥，瞧我把谁带来了？

嫦：（眼也没睁）谁啊？又是你，又是你。

侯：（点头如捣蒜，重复地）是我。看，她是谁？

[侯的手往后指，但身后并没有人。侯一下慌神了。脚步错乱地朝门口走去。拉开门。罗宓站在门口。她正在化妆。]

侯：（悄声地）快进来。（又对嫦娥说）是她。你不是说想见洛神一面吗？她就是洛神的转世。

嫦：怎么像个坐台小姐，你别领错人了吧？曲平，给这位小姐拿个桃子。

曲：（单腿下跪，有如面对慈禧）嗻。

嫦：免礼了，快去吧。

曲：OK。

罗：（突然地）你说我像个坐台的，这么说，你也坐过台喽？

嫦：这几天，看了些人们递过来的资料，我有点想起来了，我在天上的时候坐过台。我们女人家，要是嫌闷，不愿再当良家妇女，还想混出个名堂，不坐台不行啊。必须坐台，创造被人看到的机会。然后，你就可能成为二房或三房。成了二房或三房，你就可以生出某某子弟，就可以受万世敬仰。这是颠扑不破的真理。换句话说，坐台就是走向神圣的最佳方式。

［曲平忍不住鼓掌，但是一鼓掌，手中的桃子就滚了一地。侯后毅傻了半天，现在终于找到了表现的机会。他拾起一只桃子，递给罗宓，但被罗宓拒绝了。］

侯：（急着对嫦娥表白）你说得对，她就是坐台小姐。我就是在喝酒的时候认识她的。那是在一个水上乐园。

嫦：水上乐园？你可真够酷的。

侯：（搔头）那时她正和丈夫闹得不可开交，我一不小心，就插了一杠子。

嫦：（对侯后毅说）我说过，如果你就是夷羿，你和洛神乱搞，我是不会怪你的。但你得告诉我，她什么地方吸引了你？

侯：（事先有防备，所以脸不红心不跳）她身上没有一个地方吸引我。我之所以乱搞，是因为我太爱你了。

嫦：（惊讶地）此话怎讲？

侯：（看到嫦娥没有反驳他，立马来神）说来话长，这里面涉及一个重要的逻辑问题。

嫦：哦？

侯：我是夷羿转世，所以我有一种无法排遣的痛苦，即一直无法见到你。又因为爱你，所以我更加痛苦。人一痛苦就沉沦，所以我就沉沦了。我要是不爱你，你让我沉沦，我也不会沉沦。所以说，我之所以乱搞，就是因为太爱你了。

桃 子

嫦娥吃的桃子当为蟠桃。她之所以喜欢吃桃子，当与夷羿之死有关。如前所述，夷羿就是被桃木棒打死的。嫦娥吃蟠桃，就是出于对夷羿的追念，就像人们吃粽子是要追念屈原一样。

曲平的文章中没有记述侯后毅吃桃子的事。这是因为，侯后毅从不吃桃子。这和史书上记载的“鬼畏桃”的说法是相符的。侯后毅虽然还不是鬼，但因为他的前生是夷羿，所以，尽管他口渴难忍，看见桃子就垂涎欲滴，但他还是不能吃桃。

蟠桃，也叫仙桃，长于蟠木之上。《山海经》里说：有大桃木，其屈蟠三千里。蟠桃一名由此而来。此桃并非生于人间，也非常人所能见到。据《汉武帝内传》记载，西王母曾给汉武帝四个蟠桃，汉武帝吃过之后，连称味道好极了。他把桃核留住，想引种蟠桃。西王母对他说，此桃三千年一生实（结果），中夏地薄，种之不生。以后，此桃就又被称为王母蟠桃。

这个王母蟠桃和钟馗一样，成为中国文学艺术的重要表现对象。元代无名氏有《宴瑶池蟠桃会》，明代有《群仙庆寿蟠桃会》。

传真里的罗宓

侯后毅带着罗宓去见嫦娥的时候，交代我待在家里别动。他说，一旦嫦娥最后承认他就是夷羿转世，把不死药交给他，他就立马回来在我的论文上签字。他还说："当然，如果我们还需要别的证明材料，你应该立即去准备，并把材料传真给曲平。"他们到了嫦娥那里之后，我果然接到了曲平的电话。曲平说，少了一份材料，就是侯后毅从河里救罗宓的材料。我说："我从来没有听说过侯后毅下水救人的事。"曲平说："这不可能，你跟着导师混了多年，应该听说过这方面的事。"曲平刚说完，侯后毅就把电话夺了过去，说："没错，我救过罗宓，是从河里救的，赶快写完传真过来。"我传真过去的材料是这么写的：

> 有一年冬天，作为洛神转世的罗宓迷上了冬泳。这是因为，到了冬天，衣服穿得很厚，看上去很臃肿，一点儿也显示不出她的三围。美在她这里白白浪费掉，让她感到很过意不去，所以她得拣人多的地方去冬泳。每次下水之前，罗宓都要吃阿斯匹林，预防感冒和风湿病。有一次，她又去游

泳。脱衣服前，她又仰着脖子吃了片阿斯匹林。这个动作被站在一边的侯后毅看到了。罗宓是不是要自杀，侯后毅有点吃不准。但为了保险起见，他先扒光了自己，早罗宓一步下了水，等着救她。史书上从来没有记载夷羿会凫水，所以作为夷羿转世的侯后毅也不会凫水。但为了不在美人面前丢丑，侯后毅宁愿喝水，也不喊救命。罗宓脱光衣服，是为了展示自己的美。现在她看到侯后毅一直往下沉，还以为他是要潜到水底，好进一步欣赏她的美，所以她就潜到他身边，好让他一次看个够。罗宓发现有好多水泡往上冒，起初还以为侯后毅是一时激动在水中放屁，后来才发现他是在大口大口地喝水。这个事情的起因是英雄救美人，但结果却成了美人救英雄。等罗宓把侯后毅捞上来的时候，侯后毅已经快淹死了。罗宓很可怜侯后毅，就把他送进了医院。侯后毅一醒过来，就对罗宓说，他之所以下水，是因为看见她吃药，以为她要寻什么短见。罗宓很感动，把侯后毅当成了见义勇为、舍己救人的英雄，就和他好上了。

将这份材料传真过去的时候，我感到很得意：一来我完成了侯后毅交付的任务；二来这和历史上的记载相符；三来我既没有得罪侯后毅（毕竟写了他救人），也没有得罪罗宓（还着重提到了她的美），也就是说，这既不影响我拿到文凭，又不影响我和罗宓相好。

但我没有料到，侯后毅会说罗宓原来是个坐台的酒吧女，所以，当曲平又把电话打过来的时候，我就对原文作了一下修改。

修改后的传真

罗宓和嫦娥一样，都是坐台的酒吧女，只不过嫦娥是在天上坐台，罗宓是在地上坐台。罗宓坐台的地方是个水上乐园，她除了陪客人喝酒，还要陪客人游泳。之所以选中这么一个地方，是因为她前生就是生活在水边。吃一堑，长一智，为了不再淹死，罗宓苦练游泳的本领，成为坐台小姐中的游泳冠军。也就是说，来这里坐台，可以发挥她的强项。在冬天，罗宓每次游泳之前，都要吃一片阿斯匹林，防止感冒和风湿。有一天，夷羿的转世侯后毅先生来到了水上乐园。自从他知道自己是夷羿转世，他就因为思念嫦娥而郁郁寡欢。如《淮南子·览冥训》里所说，恒娥奔月，（羿）怅然有丧，所以要到酒吧醉生梦死。在这里，侯后毅刚好遇上了罗宓。罗宓那时候正为婚姻问题苦恼，所以他们一拍即合，很快就搞到了一起。有一天，罗宓那个一直在后面盯梢的丈夫来到了水上乐园，发现了罗宓和夷羿的隐情，就将罗宓打得半死。罗宓狗急跳墙，要跳水自尽，这时候一直躲在旁边的侯后毅出马了，他也跳了下去。但他不会凫水，所以只有喝水的份儿。罗宓不忍心看到侯后毅活活淹死，就把他打捞了上来。

我把传真发了过去，但脑子里一直有个疑团，即罗宓的婚史。我的知识告诉我，既然罗宓是洛神转世，那么她应该是有过婚姻经验的。但我为什么从来没有见过这个人？

本　事

侯后毅他们和嫦娥见面的情景还应该补记如下：我把传真发过去以后，侯后毅就把材料交给了嫦娥。嫦娥翻了翻，说："这一下我相信她就是宓妃了。"侯后毅对嫦娥说："看啊，我把我的生活完整地呈现给了你，请相信我，如果你把我认下，以后我就只搞你一个人，绝不再和别人搞。"嫦娥说："咱们彼此彼此，不过，我还是不能肯定你就是射日英雄夷羿的转世。"

曲平来找我

曲平来找我。她外貌突然变化了很多，剪掉了原来的披肩长发，理了一个小平头。如果她不是披了一条透亮的白纱巾，我就要把她看成一个小伙子了。曲平脸色很白，就像是白化动物。眉毛也拔掉了，据说这样一来，再生出来的眉毛就会更浓。不过她的下身没什么变化，穿的还是牛仔裤，后兜上挂着"苹果牌"的标志。其他还有什么变化，我暂时还没有看出来。腰还是那么粗，脚丫子还是那么大，就像阿Q先生眼中吴妈的脚。曲平穿的那双旅游鞋，就像两艘航空母舰。我说：“你怎么这副打扮，男不男女不女的。”曲平说：“你真是个土老帽儿，这就叫‘派’。”

曲平是女权主义刊物的撰稿人，我是不愿和她一起上楼的。如果我让她在前面走，她就会不高兴——为什么让我在前面走，是不是把我看成了女人？如果让她跟在我屁股后面，她会更加恼火——为什么要让我在后面走，就因为我是个女人吗？所以，曲平走这个楼梯，我就走那个楼梯，互不干涉。遇到特殊情况，比如一幢楼上只有一个楼梯，那我就会在上楼之前，先上厕所撒泡尿，把时间错过去。曲平对此无话可说，因为尿脬并不是长在她身上。这会儿，有一个楼梯正在改修，不能通行，尽管我的尿脬里没有什么尿，我还是往厕所跑了一趟，在尿池旁边挤出了几滴。等我上去的时候，曲平已经在门口等着了。我掏钥匙开了门，然后做出被门吸进去的样子进了房间。这样做是完全必要的，否则曲平就会为进门的先后顺序再和我争执一番。她是来告诉我，又要开碰头会了，让我去通知罗宓也来。我说：“你们不是一起去的吗？她现在在什么地方，我怎么会知道？”曲平说：“别装蒜了，你们的事，侯后毅早就知道了。”我说：“嘴巴放干净一点儿，我和罗宓能有什么事啊？顶多在一起讨论讨论学问。”曲平说：“你别忘了，侯先生是夷羿转世，转过有穷后羿，也转过钟馗。钟馗是专门捉鬼的，而罗宓是死后化为洛神的。也就是说，罗宓一半是人一半是鬼，她的一举一动，都在侯后毅手心儿里握着呢。”我一下子蒙了。智者千虑，必有一失，我怎么没有想到老侯还有这一手？

从最美好的意义上说，我把曲平的说法看成一种提醒，即：别忘了，侯后毅既是我们的导师，又是夷羿和钟馗。他是夷羿，所以他认得嫦娥；他是钟馗，所以他能制服鬼；他是导师，所以我和曲平都得听他的。当然，侯后毅还有别的身份，譬如，如果我爱罗宓的话，他就是我的情敌，我可以把他看成一个有肠胃病的、经常拉稀的老头。他不能给罗宓带来快感，我却能够带来。我问曲平：“既然嫦娥已经承认罗宓就是洛神转世，那侯后毅总应该在我的论文上签字了吧？”曲平说：“你想得美，她还是不能认定侯后毅就是夷羿转世，因为还有些事情没有对上号。”曲平还说：“从嫦娥那里出来之后，侯后毅仍然是忧心忡忡。”

我的担心

所以我又在文章里写道：侯后毅，也就是夷羿的转世，现在一点儿都兴奋不起来。这是因为，嫦娥现在还不能肯定他是夷羿转世，之所以不能肯定，是因为有些事情还对不上号。嫦娥本来想和夷羿重续前缘，可是由于这个缘故，怎么也续不上。

我补写完这么一段，然后就陷入了沉思：究竟是哪个环节出了问题，让嫦娥觉得对不上号呢？我对此非常担心，因为侯后毅的身体本来就不好，这样忧心如焚，搞不好会闹出人命来的。我一点儿也不希望侯后毅随随便便死掉，因为这涉及我的未来。罗宓说得对，我还没有拿到博士文凭，还不能算是一个高级知识分子。二十一世纪是知识经济的时代，不是高级知识分子就别想在二十一世纪过上好日子，也就等于没有未来。

曲平也在写嫦娥下凡

和嫦娥有关的碰头会，这应该是第二次。第一次是在二〇〇〇年十二月十九日，也就是农历十一月二十四，出席人物有侯后毅、罗宓和我。关于出席的人物，曲平也有自己的说法，她说当时她也在场。

我和曲平去导师家里开碰头会，在路边的一个售货亭，我们遇到了一起。我买了一包烟，曲平买了一根火腿肠，接着我们就为出场人物发生了争执。曲平打开随身带的一个缎面日记本，让我看了看其中的一页：今天是十二月十九日，侯先生把我和冯蒙叫到了家中。这一天吃的是大米饭，喝的是鱼头汤。鱼头汤有些发腥，有些发臭，如果不是多放了一些葱花和姜片，简直难以下咽，真不知道是怎么回事。不过，冯蒙还是喝了一碗又一碗。看他就像一条喂不饱的狗，罗宓就又给他下了一碗饺子。后来，侯后毅把我和冯蒙叫到楼下，他叉着腰，瞧着那一轮圆月，喘了两口粗气，突然说："嫦娥下凡了。"关于鱼头汤，曲平还写了一条注释：这一天，侯后毅是在上街买鱼头汤的时候遇到嫦娥的，所以中午喝的就是鱼头汤。她的解释有理有据，由不得我不信。直到这个时候，我才知道曲平在接待嫦娥的同时，也在写嫦娥下凡。

我对曲平说："原来你也在写嫦娥下凡。"曲平说："是啊，我为什么要放弃这个记载历史的机会?"她说她还得感谢我，因为是我提醒她要多长个心眼，别在一棵树上吊死的。接着，她又翻开了她写的一页日记，那上面写着：晚上，我去找了冯蒙，他告诉我，不要把宝押到一个人身上，免得到时候被动，还是趁早和别的教授联系。我告诉他，我刚从侯后毅那里出来，发现侯后毅现在能吃能睡，我真心祝愿侯先生等我考完博士之后再死。我还告诉冯蒙，我要参与接待嫦娥，冯蒙让我带他去见嫦娥。但我不能带他去，因为侯先生说了，不能让男的接触嫦娥。

曲平说她现在是一颗红心三种准备：如果侯后毅没死，她就继续考他的博士，然后当历史学家；如果侯后毅死了，她就去考别的历史学家的博士，她把这篇文章给别的历史学家看看，他们一定会感兴趣，那样她也可以当历史学家；如果侯后毅和嫦娥一起走了，她就可以凭着这篇文章青史留名，直接成为历史学家，因为她已经记载了历史上的重要事件。

碰头会

侯后毅坐在沙发上，神色确实有点不好。"都过来，围着我坐下，别傻站着。”他说。我和曲平就围着他坐下了。房间里，暖气烧得很热，曲平随即脱掉了毛衣，只剩下了一层秋衣，两只乳房在那里翘着。她说：“咦，师母怎么不来开会?”她还扭脸问我：“你知道师母在哪里吗?”我一听，心里就有点发毛，牙齿咬得咔吧咔吧响。侯后毅说：“别扯远了，说是碰头会，其实就是讨论课，现在开始上课。曲平，你先说嫦娥的思想动态。”曲平说：“嫦娥说了，她相信了您的说法，夷羿有过多次转世，之所以不停地转世，就是为了等待她的下凡。”侯后毅说：“别的我不管，我只管现在的我。”曲平说：“她说了，只要你能证明自己曾是个射日英雄，她就立即把不死药交给你。”

侯后毅曾是个射日英雄

不能半途而废！既然我是在为侯后毅工作，就应该急他之所急，把这事儿办妥。史书中只要提到夷羿的，都会写到他的射日。我的论文《嫦娥奔月》中，就有对夷羿射日的研究。夷羿和嫦娥当初之所以下凡，就是为了射日。尧当皇帝的时候，天上出现了十个太阳。正如我在前面的一条有关狗的注释里所写明的，那十个太阳是帝俊的老婆羲和生出来的。此事也记载在汉代的帛画之中，帛画上的十个太阳色彩绚烂，就像十个热气球。《淮南子·本经训》里说：“尧之时，十日并出。焦禾稼，杀草木，而民无所食。”屈原在《楚辞·招魂》里也说：“十日代出，流金铄石些。”参阅闻一多在《楚辞校补》里的考证，可知这里的“代”字当作“并”字，也就是说，还是“十日并出”的意思。十日都住在一个叫汤谷的地方，那里有山有树，山叫崦嵫，树叫扶桑。扶桑高几千丈，粗一千多围。这十个太阳，每天有一个爬到树上去值班，也就是所谓的十日迭出。他们来来回回，都由羲和驾车护送。羲和就像希腊历史上的太阳神赫利乌斯——他也是每天驾驶着太阳车，从东方出巡，傍晚落入西方的大洋里。在希腊瓶画中，他头顶着一轮红日，光芒四射。

对羲和驾车护送太阳值班一事，屈原钦羡不已。他在《离骚》里写道：“吾令羲和弭节兮，望崦嵫而勿迫；路漫漫其修远兮，吾将上下而求索。”说的就是他的梦想。有位叫鲁迅的小说家，其小说集《彷徨》的题词，用的就是这两句诗。我当教师的时候，学生们也经常在课本的扉页上，写下“路漫漫其修远兮，吾将上下而求索”。我曾问他们为什么都要这么写，他们说这是中学老师教的，要想表示自己算是有理想的青年，就要说路怎么样，吾怎么样，否则就不算。由此可见，如果没有羲和驾车护送太阳去值班的事，屈原的这两句诗就写不出来；而没有这两句诗，人们就无法抒发理想；不抒发理想，就是没有理想的一代——二十世纪最后二十年，许多作家和批评家也都是这么说的，当然他们也都是这么干的。

如前所述，十日并出，禾稼都晒焦了，草木都死掉了。当时的皇帝尧就要求帝俊管管自己的儿子。帝俊就派善射的夷羿下凡，教训一下自己的儿子。夷羿就和嫦娥一起下凡了。夷羿一连射掉了九个太阳。那九个太阳一落地，就变成了三足乌鸦。它们之所以会变成三足乌鸦，是因为太阳的精魂就是三足乌鸦。王充《论衡·说日》里说：日中有三足乌。《淮南子·精神训》里也说：日中有踆乌。注家高诱对此的解释是：踆犹蹲也，谓三足乌。可见太阳变成三足乌，是还原了其本来面目。太阳是帝俊的儿子，其乌鸦的形状是来自帝俊的遗传。

帝俊的性史

前面的一条注释里说过，帝俊娶过一大堆老婆，其中最有名的是羲和、庆都和嫦娥。羲和生了十个太阳，庆都生了尧，嫦娥生了十二个月亮。嫦娥是帝俊的妻子，后来怎么成了夷羿的妻子呢？

史书对此记载有两种说法，一种是：嫦娥先嫁给了帝俊，帝俊的老婆有很多，多一个少一个没有多大关系，既然嫦娥已经把月亮生出来了，也就没有什么用了，于是帝俊把嫦娥赏赐给了手下夷羿。这种说法不大可靠，理由是，帝俊是天上的最高主宰，他用过的女人，放着也就放着，别人是不好再用的。另一种说法是，嫦娥本来就是夷羿的妻子，可既然帝俊想和嫦娥相好，嫦娥就不能不跟他好，并且为他生下十二个小月亮。生完月亮之后，再把嫦娥还给夷羿。这种说法比较可靠。

关于帝俊的性史，典籍中有许多记载。典籍中说，重要的历史人物，都是受电光、神龙、天神的感应而生出来的。比如伏羲，一种说法来自《拾遗记》卷一，里面说，伏羲的母亲华胥，被彩虹所绕，即觉有娠，历十二年而生伏羲；另一种说法来自《帝王世纪》，里面说，有巨人迹出于雷泽，华胥以足履之，有娠，生伏羲；《竹书统笺·卷首》整合这两种说法，说，华胥履巨人迹，意有所动，并有彩虹绕之，因而始娠，生伏羲。又比如炎帝，《帝王世纪》里说，炎帝之母，游华阳，受神龙感应，生炎帝；《史记补·三皇本纪》里也说，炎帝之母，感神龙而生炎帝。简而言之，炎帝是受神龙的感应而生出来的。再比如黄帝，《太平御览》引《帝王世纪》说，他母亲叫附宝，见电光绕北斗枢星，照亮旷野，感而生黄帝；《史记正义》里也说，黄帝的母亲叫附宝，在旷野中见到大雷电，感而怀孕，二十四个月后生黄帝于寿丘。比如尧，《太平御览》引《春秋合诚图》说，尧的母亲庆都，遇阴风雨，和赤龙交合，生尧；《艺文类聚》引《帝王世纪》说，庆都孕十四个月而生尧。

这里的电光、神龙、天神，实为帝俊。以庆都为例，庆都即帝俊妻，但典籍中却说，与庆都交合的为赤龙，故这里的赤龙即帝俊。以舜妻为例，刘向《列女传》中说，舜妻即娥皇；《山海经·大荒南经》里说，有人三身，帝俊妻娥皇，生此三身之国。由此可见，娥皇本是舜妻，但和帝俊通了奸，生了三身之国，就被当作帝俊妻。由此说来，嫦娥本是夷羿妻，和帝俊通了奸，成功地生了十二个月亮，就被后人当成了帝俊妻。

帝俊的形状以及他的阳物

帝俊，卜辞中被称作高祖夋，“夋”字画的就是一个鸟头人身的怪物。那鸟头，应该是玄鸟的头。《诗经·商颂·玄鸟》里说：“天命玄鸟，降而生商。”也就是说，帝俊生了殷商的始祖契。《古诗十九首》里说：“秋蝉鸣树间，玄鸟逝安适。”玄鸟究竟是什么鸟？一种说法是燕子。《礼记·月令》里说：仲春之月，玄鸟至。之所以称燕子为玄鸟，是因为燕子的颜色为玄色。《左传·昭公十七年》记载，玄鸟就是燕子，春分时节飞来，秋分时节飞走。这个燕子也被屈原称为凤凰，这是因为，既然帝俊的头是燕子的头，那燕子就是神鸟。所以，同样是记载简狄吞燕卵而生商之事，屈原在《天问》里把燕子写成玄鸟，在《离骚》里又把燕子写成凤凰。

关于凤凰，西方有另外的说法。在中世纪，人们就普遍认为，太阳是由阳精积成，从阳精中化出飞龙，飞龙又生下凤凰。在东方，从卜辞中“夋”字的写法上已经可以看出，肩膀上架着凤凰头的帝俊确实长着三足。那第三足，按照郭沫若先生的解释，实际上就是帝俊的生殖器。所以，至今“鸟”字除了读niǎo，还可以读diǎo。可以和两足并称为足的阳物，一定是非常粗大而且伟岸的。《山海经》和《说文》中描写的凤凰，其身高有六尺，乃至丈二。以此类推，长着凤凰脑袋的帝俊一定更加雄壮，其阳物在松弛的情况下竟然还能够当脚用，可见其阳物一定是非常壮观的。有了这样的阳物吊在身上，就可以理解帝俊为什么能够让嫦娥和羲和生出月亮和太阳，也可以理解华胥、庆都、任姒、娥皇、简狄……这些见过世面的女人为什么要把和帝俊的交合当成和雷电、阴风、神龙的交合了。当那根硕大无比的生殖器嗖嗖舞动的时候，它无疑就像雷电、阴风和神龙，能给那些早已神魂颠倒的女人造成足够的错觉。等她们怀了孕，孩子从那众妙之门滑出的时候，她们当然会感到玄之又玄。

顺便说一下，玄之又玄，又叫玄玄。众所周知，道家用它来形容道的微妙无形。后世的众多事物，前面都冠以“玄”字，这就是因为它们与帝俊有着隐秘的联系。经由老子，“玄鸟”之玄进一步衍生了其“玄妙”之义。至魏晋，中国最重要的哲学思潮就是玄学。它用老庄思想糅合儒家经义，以代替走向衰微的两汉经学。到了近代，西人的“形而上学”译成中文名字，也叫玄学。可见，西学东渐之后，就被纳入了帝俊用鸟头和第三足开创的语境中了，成了东渐后的西学。

我自己以及婚姻

我问罗宓：“直到现在我才知道你有过婚史，你怎么从来没有告诉过我?”我还告诉她，侯后毅好像已经知道我们之间的事了。罗宓说："这有什么好奇怪的，我不是说过了吗，他是历史学家，当然也应该知道这个历史事实。"她的说法把我吓了一跳。我问罗宓葫芦里究竟卖的是什么药，是不是想拿我即将到手的文凭开玩笑？她说："什么玩笑不玩笑的，你是冯蒙，我是洛神，我们本来就是天造地设的一对。"我说："你说得不对，历史从来没有记载过冯蒙和洛神谈恋爱。"可罗宓说："你真是不开窍，到现在你还没有搞清楚你是谁，你其实就是河伯。"她的理由如下：河伯的原名叫冯夷，夷是指蛮夷，蛮夷的意思就是不开化，有待别人启蒙，所以又叫冯蒙。罗宓说她已经查过我的档案了，我以前叫作冯迟，而冯迟就是河伯。我曾叫过冯迟，这一点是没有错的。女人通常怀胎十月，然后生子，可我却在母亲肚子里多待了一个多月。所以我一生下来，就被人叫作"迟"，即冯迟。罗宓还说中了另一个事实，即我之所以改名叫冯蒙，确实和启蒙主义有关。我的父亲曾参与过一个后来失败了的启蒙主义运动，并因此郁郁而死。为了纪念父亲，我改名叫作冯蒙。

我查了查史书，发现罗宓说得没错。《楚辞补注》中洪兴祖引《抱朴子·释鬼篇》说：冯夷以八月上庚日渡河而死，帝俊就命他为河伯。《酉阳杂俎》里说：河伯既叫冰夷，又叫冯夷，还写为冯迟。"冯"与"冰"、"夷"与"迟"读音相近，当为通假，所以不管叫冰夷、冯夷，还是冯迟，说的都是同一个人。而众所周知，河伯的妻子就是洛神。原来，罗宓本来就是我的老婆！是侯后羿将她抢去的！

罗宓原是我的老婆

借助典籍，我才知道罗宓原来是我的老婆。现在我理解了我的前世逢蒙为什么要杀死夷羿。我既是逢蒙转世，又是河伯转世，那么我就既是逢蒙，又是河伯。逢蒙也就是河伯。

历史上，爱上我老婆的有两个人。一个是屈原，一个是夷羿。正如我们所知的，屈原是个落魄的诗人。而被逐出权力中心之后，风花雪月之外再来点爱情，是诗人惯用的把戏。屈原对宓妃只是意淫，并没有动真枪实弹。这可以拿他的作品作为例证。在他最重要的作品如《九歌》《离骚》中，他都以女性自比，是一个自我女性化的人物。向楚王表忠心时，把自己说成一个女人；向女人求爱时，也是以女性的身份出场。在中国的诗人当中，屈原的性别角色最为混乱，表现在性格特征上，也说不清是男是女。阴柔，敏感，爱生气，好流泪；喜欢花草，并喜欢以花自比，把女罗、石兰、辛夷、杜衡、幽篁、杜若、薜荔……都看成自我的化身。那个时候还没有玫瑰，如果有的话，屈原自比的首先当是玫瑰。他对含烟带雨的天气也很着迷，像少女一样喜欢在雨中散步。这样的人，在性的趣味上显然是个双性恋者。在《离骚》中，屈原让云师丰隆驾着车，到处追踪宓妃，还要解下他的佩带表达他的爱慕，请来媒人为他提亲，但也仅此而已。

而夷羿就不同了，他会射箭，能将我轻易射杀，以获得宓妃。在冷兵器时代，有了高超的箭术，就像今天获得了某些资格就可以置人于死地一样。和屈原一样，夷羿也先是意淫，“梦与洛水神宓妃交接”（王逸注《楚辞·天问》），然后要把我除掉，娶宓妃为妻。为此，他射瞎了我的左眼（高诱注《淮南子·汜论训》）。根据上述记载，我应该只剩下一只右眼。当然，我写这篇文章的时候，两只眼睛还是长得好好的，虽然有点近视，但一只也没有瞎。不过，就像革命不分先后一样，放到历史上看，我的左眼早晚都得瞎掉。也就是说，瞎掉左眼是一个基本事实。

修　改

既然典籍中都说罗宓本来就是我的妻子，那我就根据记忆把前面“关于我自己”的那条注释修改如下：

二十世纪最后几年，我在汉州师范大学教书。我班上有一个女学生，经常长时间地望着窗外。她忧戚的面容引起了我的注意。我后来知道，她是一个旁听生，名叫罗宓。除此之外，没人知道她的经历。我也得知，在我讲课的时候，她没有打瞌睡，已经给了我很大的面子。别人上课，她通常都要睡觉的。

我对罗宓的美貌很着迷，就主动和她搭讪。罗宓告诉我，她之所以来这里听课，就是因为爱上了我。我问她为什么。她说，爱情是不能问为什么的，爱就是爱，就像花就是花，一朵花从来不知道自己为什么开花。因为我是冯蒙。我对罗宓说，别人都说你趴在桌子上睡觉的时候有着让人迷狂的睡相，什么时候让我看一下你的睡相好不好？罗宓说这很容易，今天晚上就行。当天晚上，我们就住到了一起。我们一边照镜子，一边欢爱。天亮之前，我们虽然都已经精疲力竭，但我们还是强打着精神又做了一次爱。我对罗宓说，这样好像有点不太好。罗宓说，没有什么不好的，因为尼采说了，凡出于爱心所为，永远超然于善恶。

有一天，我正上课的时候，来了一个人。他由系主任陪着，不吭不响地在教室的后排坐下了。那天，由《资治通鉴》的“鉴”字，我讲到了镜子，并说镜子是黄帝造的。讲着讲着，我就想起了我和罗宓的交欢。有一本叫作《红楼梦》的书，里面有对“风月宝鉴”的描写，有人面对镜子幻想交欢，导致泄精而死。讲到镜子，我就下了决心，以后交欢的时候不再照镜子。讲完课之后，那个来听课的人到了我面前，自我介绍他叫侯后毅，愿意招我当他的研究生。我现在才知道，他之所以要招我当研究生，就是为了和罗宓接触。我对那个人说，我不能当研究生，因为谁都知道研究生是穷光蛋，我不想当穷光蛋。那个人说，这不要紧，我可以让我的妻子到水上乐园坐台。我说我还没有结婚。那个人说他已经听系主任讲了，我正在和一个叫罗宓的人同居，已经有了婚姻的事实。

我把上面一段文字给罗宓看了。罗宓说："明白了就好，我要再见到嫦娥，一定把这事说清楚，告诉她，咱们本来就是一对，当中被侯后毅插了一杠子，现在咱们又和好了。她要想和侯后毅重续前缘，我绝对不会使绊子，因为我现在不需要他了。"我问罗宓："你既然这么能想得开，那为什么还要和侯后毅生气，为什么要吃嫦娥的醋呢?"罗宓用手指戳了一下我的额头，说："你真是个小傻瓜，这都看不出来，我都是装的。"她的眼圈立即变红了，又说："我这么做容易吗，你一点儿都不体会我的苦心，我这是想给他留下他对不起我的印象，让他心中有愧，好让他赶快滚蛋。"

克隆技术

我把有关帝俊的注释打印出来，交给了侯后毅。我从来没有见过侯先生那么恼火。他把那张纸撕得粉碎，像天女散花一样，撒向了空中。"一派胡言!"侯后毅说，"照这样下去，你永远领不到博士文凭。"我撅着屁股在捡那些纸片的时候，曲平进来了。她也是来向侯后毅交差的。侯后毅看了看，对我说："她就比你写得好，她虽然没当博士，但已经是博士水平了。你最好和曲平讨论一下，把两个东西融合到一起，形成一份历史文件。"

曲平写的也是对帝俊的研究。她的研究分成两类。第一类是，帝俊就是尧、舜、禹，就是永恒的帝王，永远的权力的最高主宰。也就是说，帝俊是不死的。她的研究参考了当代的科研成就，证明尧、舜、禹都是帝俊的克隆。曲平说克隆技术早就有了，史书对克隆技术记载得最清楚的，是禹的克隆。照史书《归藏》记载：鲧殛死，三岁不腐，副之以吴刀，是用出禹。而鲧是颛顼的克隆。《大戴礼·五帝德》记载：颛顼乘龙而至四海。颛顼作为天上的最高主宰，就是帝俊。所以，禹是帝俊的第三次克隆。曲平说研究历史需要灵感和触类旁通，她的灵感来自于她刚看过的一篇报道：

> 俄罗斯政府宣布，莫斯科红场的列宁墓关闭，理由是列宁的遗体必须进行处理，以免腐烂。据《西伯利亚新闻报》报道，此事另有隐情。有可靠情报证实，俄罗斯有人准备盗取列宁细胞，进行克隆。国外也有人打列宁的主意。一位列宁保镖日前透露，一些克隆爱好者也计划克隆斯大林。为此，数十名列宁保镖被安排学习克隆技术知识，从理论上对克隆有一个初步了解，从而对症下药，堵住保安漏洞。
>
> 另据报道，早在一九九八年，一个化名阿里的中年男子代表一个跨国克隆组织，已经和利比亚领导人卡扎菲、恐怖大亨拉登、意大利黑手党领袖阿列里取得联系，欲克隆这些铁腕人物，使他们永生。

一个俄国人声称，有人向他提出半价优惠，因为克隆人已经出现滞销。另有可靠消息，众多组织都已插手克隆计划，因为即使克隆器官仅供移植之用，也可以赚大钱，既比贩毒利大，也比贩毒安全。

最早提出克隆计划的是斯大林。一九五三年，斯大林死前嘱托医生将其大脑取出，进行切片研究。其目的有二：一是让科学家从中找出其生前思想言行的秘密，证明他天生就是个伟人；二是要等条件成熟时，把他克隆一下，使他获得永生。斯大林怎么知道日后会有克隆技术问世？这是个谜。

曲平说，经由她的研究，这个谜实际上已经解开，斯大林显然是受了尧、舜、禹是帝俊克隆的启发，才想到这一手的。关于尧也是帝俊的克隆，曲平说史书对此的记载比比皆是，就拿羿射日来说吧，《淮南子·本经训》里说：尧乃使羿上射十日，万民皆喜，置尧为天子。而《山海经·海内经》里又说：夷羿射日，是受帝俊的委派。可见，尧和帝俊就像是一个人。

曲平的另一种研究表明，帝俊早就死了。她的研究是，帝俊就是夔，即那个“夔一足”的夔。作为一足之兽的夔，它被制成了战鼓。曲平说这是她在写《“夔一足”与男权的没落》时的一个重大发现。

修 改

我汲取了曲平的研究成果，在文章里写道，尧、舜、禹都是帝俊的克隆。博尔赫斯说，镜子和性交都是污秽的，因为它们使人口增多。这句话表明博尔赫斯是个厌世主义者。现在应该在镜子和性交后面加上一个词，即“克隆”。与镜子和性交比起来，克隆可能更加污秽，因为它不光使人口增加，还使权力无处不在。在文章中，我也写到帝俊已经死了。虽然这两种说法自相矛盾，但既然它们都是历史的真相，我就不能够因为其矛盾性而擅自取舍。也就是说，帝俊虽然死了，但还活着，虽然活着，但已经死了。

鲁迅的记述

我把改好的文章交给侯后毅，侯后毅果然说我还原了历史的真相。但他还是有点愁眉不展。原来，他担心嫦娥等不及我们证明他就是夷羿转世，就会像上次一样突然飞掉。我对他说他的担心是多余的。根据鲁迅的研究，上一次，嫦娥之所以撇下夷羿单独飞走，是因为不想吃乌鸦肉做的炸酱面。鲁迅的文章《奔月》记载的就是此事。文章里说，夷羿每天出去打猎，后来什么猎物也打不到了，只能打到乌鸦和麻雀，这让嫦娥受不了了。有一天，夷羿回到家里，突然发现嫦娥不见了，继之又发现放在首饰箱里的不死药没有了踪影。后来，使女告诉他，她看见一个黑影向天上飞去了，不过那时万想不到会是太太嫦娥。一想到嫦娥把自己扔下单独走了，夷羿忽然愤怒了，“从愤怒里又发了杀机”，朝着挂在空中的一轮雪白的圆月，连射了三箭。

> 大家都看到月亮只一抖，以为要掉下来了——但却还是安然地悬着，发出和悦的更大的光辉，似乎毫无伤损。羿想，乌鸦肉做的炸酱面的确也不好吃，难怪她忍不住；明天再去要一点仙药，吃了追上去吧。

《奔月》写于一九二六年。这一年鲁迅形销骨立，他显然也在为嫦娥和夷羿忧虑。鲁迅说得很明白，嫦娥之所以偷药奔月，是因为她不想整天都吃乌鸦肉做的炸酱面。还说，夷羿曾想着第二天再去要一点不死药，以便吃了之后追上嫦娥。事实是，夷羿并没有追上嫦娥，因为他没能再次弄到不死药，否则，我就不会来写嫦娥下凡。我对侯后毅说，照鲁迅的研究，只要不让嫦娥再吃乌鸦肉做的炸酱面，嫦娥就不会飞走。

侯后毅说他也看过这篇文章。他说里面好像还提到了夷羿没有把“啮镞法”教给逄蒙，所以到了最后，逄蒙没有学到夷羿的全部本领。因此，作为一名学生，逄蒙等于没有毕业，最多只能算是肄业。

啮镞法

鲁迅的文章中确实写到了啮镞法，说的是逢蒙因为嫉妒夷羿的射术，曾经向他射过一箭。“嗖”的一声，箭径向夷羿的咽喉飞过去，夷羿一个筋斗，带箭掉下马去了，马也就站住了。逢蒙见夷羿已死，便慢慢地走过来，微笑着去看夷羿的死脸，当作喝一杯胜利的白干。刚在定睛看时，只见夷羿张开眼，忽然直坐起来。他吐出箭，笑着说：“你难道连我的啮镞法都不知道么？这怎么行。”

关于啮镞法，《太平御览》援引《列子》一书，有这样的记载：飞卫学射于甘蝇，诸法并善，唯啮法不教。可见，这里会啮镞法的是甘蝇，而不是夷羿。不过，既然夷羿是个善射之人，他也一定会啮镞法。也就是说，当逢蒙射杀夷羿的时候，夷羿会用啮镞法防身。

我现在想起来了，有一次，侯后毅和罗宓打了一架。后来我见到罗宓脸上有两排牙印，和一般的牙印不同，那上面有一个明显的豁口。现在我知道了，靠着啮镞法，夷羿虽然暂时免去一死，但他的门牙却被箭射得摇摇欲坠。他的牙齿没过多久就掉了下来。当夷羿转世为侯后毅时，那个地方仍然有个豁口。所以，当侯后毅狗急跳墙去咬罗宓的时候，就在罗宓脸上留下了有豁口的牙印。

罗宓和侯后毅的条约

罗宓和侯后毅见了一面，签订了一份条约。

(1) 侯后毅如果和嫦娥一起飞走，则把眼下住的专家楼留给罗宓。

(2) 侯后毅如果不飞走，则把专家楼的一半以及楼下的车库和草坪的一半留给罗宓。

(3) 侯后毅如果不飞走，侯后毅也应承认罗宓与冯蒙有同居的权利。如果有关单位前来询问，侯后毅应向有关单位说明，冯蒙原是罗宓的丈夫，现有权在这里居住。

(4) 冯蒙博士毕业之后，自动获得在这里居住的权利，并获得这里的一切财产。

签　名：侯后毅　罗　宓

公证人：曲　平　冯　蒙

罗宓回来时，捎来了我交给侯后毅的有关夷羿射日的研究文章，上面已经打了许多问号，并专门写了一句话："我是夷羿转世，我虽然是个英雄，但没有射过日。请予证明。"据罗宓说，侯后毅向她保证，这是他对我的最后一条要求，如果我能满足这个要求，他就立即在我的博士论文上签字，并在条约上按下自己的手印。

分　析

我和罗宓分析了一下，侯后毅为什么既要让我证明他是射日英雄，又要让我证明他没有射过日。

（1）如果他不是射日英雄，嫦娥就不会承认他——这种局面我们也不希望看到，因为这会使我们的工作前功尽弃。

（2）但是，如果他是射日英雄，他就不能和嫦娥一起上天。这牵扯到帝俊，因为被射下来的那九个小太阳是帝俊的儿子，有此杀子之仇，帝俊是不会同意他上天去的。

（3）如前所述，帝俊是个永生的帝王，他绝不会有仇不报。历史的经验已经反复证明，所有的帝王都擅长秋后算账。虽然曲平已经考证出帝俊死了，但所有的克隆人都有一个共性，就是他虽然死了，但还活着。

所以，历史的真相最好是：侯后毅即夷羿的转世，虽然是个英雄，但并没有射过日。

秋后算账

关于秋后算账，还得再加一条注释。照鲁迅的说法，嫦娥之所以单独上天，是因为不想再吃乌鸦肉做的炸酱面，而夷羿之所以没能上天，是因为嫦娥将西王母的不死药全都带走了。而根据史书记载，造成这种局面，是因为帝俊秋后算账。如不是秋后算账，完成射日任务的夷羿，当然就会带着嫦娥重新回到天上，就不需要去找西王母的不死药以求不死了。《楚辞·天问》中说，夷羿射日之后，“献蒸肉之膏而后帝不若”。大历史学家和注疏家王逸对此的注释是：“后帝，天帝也；若，顺也。”讲的是夷羿以野猪肉献祭帝俊，帝俊仍然不愿原谅夷羿。虽然夷羿的射日是帝俊交代的任务，但那实际上是引蛇出洞。

历史的真相

根据侯后毅的意见，我又对夷羿射日的注释作了修改，因为它们都来自帝俊的遗传，帝俊肩膀上架的就是个鸟头。我写道：

> 如果夷羿要射日的话，他在天上就可以完成这项任务，没有必要来到凡间。他下凡并不是为了射日，而是为了完成帝俊交代的任务。最早记载羿的英雄事迹的《山海经·海内经》说：帝俊赐羿彤弓素矰，以扶下国；羿是始去恤下地之百艰。意思是：帝俊赐给羿弓箭，让他拯救人民于水深火热之中。羿不负帝俊的重托，用箭射杀了许多猛兽，也就是“恤下地之百艰”。可见，羿射杀的是地上凶猛的鸟兽，而不

是太阳。

所谓羿射九日，落下了九只三足乌鸦，我们可以从语言学上作些探讨。人类常用“呜呼”来表示大势已去，用“乌合之众”来表示一支队伍形同虚设。对昼夜的变更，人们常说，“金乌西坠，玉兔东升”，但正如月亮中只有嫦娥而没有玉兔一般，太阳中也并没有金乌。

事实上，乌鸦是一种不存在的鸟。所谓“子虚乌有”，说的就是这个意思。“子虚乌有”与拉丁文中的“乌托邦”（utopia）一词相通。而“乌托邦”又是希腊文中“无”（ou）和“处所”（topos）两个词的拼接，意思是乌有之乡。所以，乌鸦是生活在幻象之中，并不存在。因此，侯后毅的前世夷羿，虽然是个英雄，但并没有射下那九只三足乌鸦。

我和罗宓

写完上面一段文字，我就把它交给了侯后毅，然后我来到罗宓的住处。罗宓前世喜欢水，当坐台小姐时也喜欢水，现在还喜欢水。我也是，我是冯夷的时候就生活在水里。所以，一来到罗宓的住处，我们就泡进了水里。好多书上都说，冯夷是人面鱼身。我现在躺在浴缸里，就是一条鱼。罗宓也是一条鱼。我们正讨论我作为冯夷怎样和洛神谈恋爱，侯后毅作为夷羿又是怎样射瞎我的左眼。这时突然有人敲门。敲门声一开始很弱，就像鱼嘴轻轻地碰着鱼缸，接着那声音变得急促了，就像好多条鱼要吵着自杀。我推了推罗宓，让她去开门，罗宓把食指竖到嘴唇跟前，嘘了一声，说："别理他，咱们继续在前世里做爱。"可是，那声音却越来越大了，而且好像不是在敲，而是用脚在踢门。事情明摆着，我要是不出去，那门肯定会被踢开。

不消说，我以为是峨冠博带、女里女气的屈原找上门来了。我心里有点恼火，觉得这样的人就应该沉到汨罗江里淹死。我气呼呼地从浴缸里出来，通过门上镶嵌的猫眼往外看。只看了一下，我就吓得连退了几步，因为我看见外面站着一个男人，既不是屈原，也不是侯后毅。我拎着衣服往身上套，刚套上裤衩儿，就听见那人说："别慌，把裤门儿上的拉链拉上再开门。"众所周知，洛神是个风流女神，所以我不能不担心，那是她刚挂上的男人。我正寻思着怎么办，还在浴室里的罗宓突然开腔了。她以为外面的人是侯后毅，所以她说："开门吧，他又吃不了你；再说了，你是冯夷，他是夷羿，他要霸占你老婆，要给你戴绿帽子，那是他不按牌理出牌。"经罗宓这么一说，我的脑子就转过弯了。是啊，不管外面的人是谁，我都不应该害怕，因为我是冯夷，罗宓是我的老婆。我应该打开门，理直气壮地对外面的人喊上一声："滚!"但我毕竟是位历史名人，不能随便说粗话。我所能做的，就是先给罗宓打个招呼："听着，扣子一定要扣严，坐下的时候要想想办法，不要让内裤露出来。"然后我就把门打开了。

我实在没想到来的人会是曲平。她的样子我几乎认不出来了，因为她现在完全是一副男人的打扮。曲平一进来先问罗宓在哪里，然后要和罗宓一起洗澡。洗了澡，她照了照镜子，把头发尽量往前梳，遮住了一点脸颊，又点上了烟。这个时候她才好歹像个女的，我也才可以辨认出她就是昔日的那个女权分子曲平。曲平是来告诉我，嫦娥这次回来，是出于对天上生活的厌倦和对帝俊的厌恶，想和昔日的英雄夷羿重温平凡的生活。我问曲平侯后毅现在在哪里。她说他已经躺到旅馆的床上，正在慢慢地咽气。她说，虽然所有的材料都已经证明侯后毅就是夷羿的转世，但嫦娥仍然不愿承认他就是那个英雄。我问嫦娥在什么地方，曲平说嫦娥正守在侯后毅身边，一边看着他咽气，一边享受那似是而非的爱情的最后瞬间。嫦娥说了，既然夷羿能够不停地转世，她就下次再来。

博士文凭

我在《嫦娥下凡》里写道，侯后毅终于被认为是夷羿转世。但侯后毅并没有在我的博士论文上签字。照曲平的说法，侯后毅在死之前对她说了，他是不会在我的论文上签字的。这是因为，按照我前面写的注释，夷羿并没有教给逢蒙啮镞法，也就是说并没有让逢蒙毕业。作为夷羿的转世，他也不能让我毕业，否则就与历史事实相悖。

我让曲平给我带路，去旅馆找侯后毅算账。开门的时候，我又为谁应该先进去颇费思量。但曲平告诉我，她现在已经不计较这个了，因为她已经做完了变性手术，现在已经是男人了。她还要求我把自己的文章认真修改一遍，里面凡是涉及她的地方，都要把“她”字换成“他”。“他”还顺便告诉我，在写嫦娥下凡的过程中，“他”突然想起来，自己就是典籍中记载的那个屈原。为此，“他”已经作过详细考证，发现事实正是如此。“他”说从旅馆回来“他”要做的第一件事就是向罗宓求爱。

奔　月

我到最后也没有见到嫦娥。她虽然恢复了记忆，但她不得不再次奔月。侯后毅之所以会死去，是因为嫦娥仍然不愿承认他就是转世的夷羿。嫦娥当初窃药奔月，是帝俊的指示。这一次，嫦娥是出于对不死的帝俊的厌恶，才来到人间寻找真正的爱情的，但她却发现这里并没有爱情。所以，我见到侯后毅的时候，嫦娥已经奔月而去。

我在文章的最后写下了“嫦娥奔月”四个字，算是对此事有个交代。侯后毅果然没有在我的论文上签字。他说既然他是夷羿转世，他就可以在另一个来世为我签字，所以他让我继续修改。他的理由是，他让我写的是嫦娥下凡，但最后我却写成了嫦娥奔月，所以这一次不能算数。除了让侯后毅尽快地结束生命，我别无选择，所以，我举起了他床边的拐杖。这最后的一幕，是历史的重演。通过想象和实事求是的考证，我可以证明那根拐杖是由桃木做成的。我这样做，可谓一举两得，既可以解我心头之恨，又可以通过这最后的事实，论证出我就是历史上的逢蒙和冯夷，历史上英雄人物的弟子，以及那个永恒情敌在当今人间的短暂逗留。

举起那根拐杖的时候，我已经把博士文凭扔到了脑后，甚至已经做好死的准备。罗宓和曲平冲了进来，拉住了我。我没有理她们那一套。她们又喊着“冯蒙疯了”。冯蒙疯不疯和我有什么关系呢？当她们说我会被丢进大牢的时候，我说我并不担心死去，因为我会像侯后毅一样，虽然死于当今，却可以生于来世。

午后的诗学

事隔多年，有一天，我和费边谈起我们初次见面的情景时，我们的回忆竟然大相径庭。我记得第一次见到他，是在二十世纪八十年代末，地点是济水河边的小广场。那天中午，我正和一个刚认识不久的女人在街上走着，突然听到广场那边传来一阵有节奏的喊叫声。女人拉了我一下，说："闲着也是闲着，咱们去那边听听诗朗诵吧。"那天参加朗诵的人很多，每个朗诵者都得到了足够的掌声和鲜花。费边那天朗诵的是马拉美的《焦虑》——一首描述罪愆、灵魂的风暴和人性的高贵的诗篇。那大概是那天朗诵的唯一一首真正的诗篇。费边从那个临时搭成的台子上下来，经过我们身边的时候，有几个大学生拦住了他。"我们最喜欢你念的最后几句，够劲、解气。"他们重复了他们认为"够劲""解气"的那几句，意在表达他们是费边的忠实听众。有趣的是，他们记错了，他们七嘴八舌重复的"诗句"，要么是费边前面的那个人喊的口号，要么是等不及费边下来就跳到台子上去的那个末流诗人吐出来的打油诗。费边听他们讲完，脸上浮出了笑意，随即甩出一个警句："诗性的迷失就是人性的迷失。"在这之前，我已经听说费边是这座城市杰出的诗人，现在看来，果然名不虚传。和我站在一起的女人，在那个年代大概也是一个诗歌爱好者。她将一瓶酸奶递给费边，说："我也喜欢马拉美，不过我喜欢的是他的《纯洁，生动》。"费边咬着吸管的嘴巴松开了。他看着她，一边和她握手，一边说："你说得真好。爱诗的女人本身就是一首纯洁生动的诗。"这时候，掌声和喊叫声又响了起来，将费边的声音淹没了，我只能看见他的嘴在动，却听不清他又有哪些高论。

这一天，我们三个在河边的悬铃木树荫下聊了十分钟左右。我记得费边很匆忙，说他还有些事情需要处理一下，得先走一步。临走，他给我抄下了他的电话号码和住址。"有空儿，请过来说说话。"费边说。如果我没有记错的话，他当时还对我身边的那个女人说了这么一段话："我喜欢和一流的女人讨论问题，读二流的诗思考问题，写三流的诗表达问题。"他的口才真好啊。说这话的时候，费边用食指推了推眼镜。那是一副茶色玻璃眼镜（这副眼镜我后来没有再见过）。他的鼻梁有点高，镜架搭上去，就像骑士双腿叉开坐在马背上一样。镜框的两边向下垂了一点儿，有点像栖息在树上的鸟那下垂的双翼。

费边的说法与此大不相同。他坚持认为我们是在九十年代认识的，见面的地点是某个朋友家的客厅。他说："如果我们在街头见过，并且像你说的那样还聊了那么长时间，那我肯定会记住你。"费边还顺便开了一个玩笑："你又不是不知道，过目不忘是我的强项。"他说，在朋友家的客厅里，他确实朗诵了一首诗，但朗诵的不是马拉美的作品，而是但丁的《神曲》。他说他的朗诵没有获得掌声，因为他朗诵完之后，大家都陷入了沉思。

我们都说服不了对方。算下来，这样的争执大概发生过七八次。这当然没什么意思，因此，我们后来也就不再提起此事了。不过，在另一个问题上，我们之间不存在异议，这就是，我们都认为我们是在一次打猎活动中成为真正的朋友的。在一九九一年的夏初，费边邀请几个朋友到郊外打猎散心，到出发的时候，那几个人说有事不能去了，结果只剩下了我和费边。那一天，我们漫山遍野地跑，跑得脚底起泡，也没能见到猎物。天快黑的时候，我们正准备回城，突然看到了一个东西。因为距离远，我们分辨不清它究竟是狼还是狗，我先用微冲打了一阵，接着，费边也手忙脚乱地开始射击。就在这个时候，费边手中的打兔枪的枪膛炸开了。幸亏那天我们都装模作样地穿了防弹背心（和微冲一起借来的），幸亏费边没有把脸贴着枪托去瞄准，否则，我们（尤其是费边）非被打坏不可。过了很久，我们才缓过神来。我们互相检查了一下，发现都是只伤了点皮肉，这才把心放宽。“我们和死神亲吻了一下。”费边说。与这句话同时诞生的，还有我和费边的生死与共的感觉，虽然其中不乏夸张的成分。我们搂到了一起。费边说：“挺有意思，猎物没有打着，自己却差点报销。”我说，确实有意思，很像小说里的情节，说不定哪一天我就把它写下来了。费边用脚试探着那杆炸了膛的打兔枪，说：“要是写到它，你最好让玩枪的人当场做鬼，起码得让他瞎一只眼。”接下来，他又顺便谈到了写作问题。他的话说得精彩，应该记下来：写作就是拿自己开刀，杀死自己，让别人来守灵。蜂一张嘴吐出来的就是蜜，我的朋友费边随口溜出来的一句话，就是诗学。费边的这种出口成章的本领，我后来多有领教。费边并不耍贫嘴。从他嘴里蹦出来的话，往往是对自己日常生活的精妙分析，有时候，还包含着最高类型的真理。这使我想起他曾向我讲述过的一本书中的一个有趣的故事：二战时，纳粹德国轰炸伦敦的导弹落点，与盟军一名军官从事性行为的地点，总是发生奇妙的吻合，在性行为和 V-2 导弹之间，仿佛存在着神秘的感应。当然，差别还是有的。对我的朋友费边来说，他既是 V-2 导弹，同时又是那位不断受到惊扰的军官。

认真回想起来，费边对我们初次见面的时间、地点的说法，也不是完全站不住脚。他确实是在一个朋友家的客厅里，知道我的名字，直到那个时候，他才知道我是个写小说的。他大概认为，那次才算是真正的见面。

在九十年代的第一个年头，朋友们经常聚会，参加聚会的都是满腹经纶的知识分子。这帮人拥到谁家，谁家的抽油烟机、排风扇就得忙上一整天。如果打开窗户，让阳光照进来，你就可以发现，烟雾在机器的抽动下，在人们的头顶上飘浮得很快，有如风起云涌。当然，抽走和排掉的还远不止这些，至少还有那个年代特有的颂祷、幻灭、悲愤和恶作剧般的反讽。

这些知识界的朋友，每个都有一套俏皮而又中肯的格言，大多数人连自己的墓志铭都构思好了。我记得有一天从北京来了一位谈锋甚健的诗人，他是费边的朋友，他在谈到海德格尔的“向死而生”的时候，突然朗诵起了自己的墓志铭，并提醒大家也要具备这种“墓志铭意识”。“用不着提醒，这玩意儿大家都有。”有人立即不甘示弱地站了起来。这个人怕远来的客人不信，就建议大家都把墓志铭写下来，互相传看一下。他的建议荒唐而有趣，大部分人都抵着膝盖写了，并交到了他的手里。我现在所能记住的，只是我和费边的。之所以能记住费边的，是因为我后来又听费边说过几次。那其实是但丁《神曲》里的两句诗：时间就在这只器皿里有它的根，而在其余的器皿里有它的枝叶。这一天，在随后的发言中，费边对《天堂篇》中的这两句诗还作了一番解释。就我所知，他后来将这则墓志铭藏到了书架上的一只彩陶里，那是它的一个好去处，因为在费边看来，出土的彩陶就是在时间中扎根的器皿。在一首诗中，费边写道：

空洞的彩陶是满的

它装满了时间

土黄色的纹饰是绿的

时间是它的枝叶

什么都谈，什么都可以拿到这样的聚会上研讨一番。有一段时间，一些搞经济学和神学研究的人也加入了这种不定期的聚会。人多了，一般的客厅也就盛不下了，于是大家就移师室外。

西郊的一个废弃的兵工厂成了大家聚集的场所。移步换形，走出封闭的房间来到四周都是原野的大院子里，一些新的话题也就进入了交谈。关于农事，关于亚细亚生产方式，关于田园和城市的二元对立，人们都谈得唾液乱飞。但待在郊外，终归不是长久之计，因为遇到刮风下雨，事先定好的日期就得变动；一些老弱病残者，骑车跑那么远，每次都累得半死。好在这个时候，一些凑热闹的人已经很少来了，剩下的人，较大的客厅已经装得下了。费边的朋友和同事，一个名叫韩明的人，提出聚会可以放到费边家的客厅里搞。他的提议正中费边的下怀，费边早就想为朋友们多出点力了。费边对大家说他是个单身汉，母亲住在姐姐家里，自己的住房很宽敞，他完全有能力干好后勤工作。他还表示，他要马上找民工，把客厅和卧室之间的墙打掉，让客厅更敞亮一些。事情就这样定了下来。最后的那几次聚会确实是在费边家的客厅里搞的，费边的后勤工作也干得非常出色。费边后来对我说："你看，我摇身一变，就成了边缘的中心，算下来，那可要算是我的黄金时代啊。"

费边的房子位于这座城市的黄金地段，濒临济水河。虽然济水河是一条鱼虾早已死绝的臭河，但它毕竟是自然的象征。黝亮的河水流动时形成的小小波浪，和碧海中的波浪仍然具有同一性。就像上海的情侣们喜欢挤到臭烘烘的外滩约会一样，这座城市里的人也常到济水河边的小广场转悠，把那里当成了一个风景胜地。作为这座城市的长期住客，费边谈起济水河的时候，常常没有多少好话。我们刚移师到费边那里的时候，济水河边正是一幅锣鼓喧天、旗帜招展的景象。被组织起来的人们，正在那里疏浚河道，用水泥和石板铺设河床。他们伐掉高大的悬铃木，扩展广场，修建舞榭亭台。这些东西都成了费边的话柄：这是世纪末最杰出的行为艺术，死马当作活马医，臭椿当作香椿吃。广场是权力的象征，众多的小广场是大广场无数的繁殖。而那些舞榭亭台，只不过是在提醒我们，一定要乖乖地逃避真实的命运。费边对朋友们说："看啊，我这里就是一个观景台，在我这里可以看到现代生活中最荒诞的戏剧。"费边的朋友韩明说自己以前就常去费边那里看戏，有时看得津津有味，恨不得住下不走。

我们在费边那里谈亚里士多德，谈米沃什，谈布罗茨基，谈学生们送给阿多诺教授的两样礼品——粪便和玫瑰。布罗茨基的那两句话（我是二流时代的二流诗人，二流时代的叛臣逆子），我就是在费边那里听到的。费边有一次提到了罗马的罗慕洛大帝的逸事，引起了人们浓厚的兴趣。这位有趣的皇帝，在代表着新文明的外敌入侵的时候，不事抵抗，只在那里逗弄小鸡。"他是一个对罪恶心中有数并能作出艰难选择的人，"费边说，"在缴械的时候，他盯着那些刚爬出蛋壳的小鸡，心中充满喜悦、寂寞和自由。"费边总能找到这种逸出编年史的"本质性"事件，使大家在严肃的讨论中，放松一下神经。有一次，韩明和一个写《〈论语〉新注》的人吵了起来。那个人事先强烈要求将自己的著作带来，供大家讨论，可临到出门的时候，又要求派车去接他。

韩明是聚会召集人之一，只好坐出租车去把那个人接了过来。韩明发现，那个人并不像自称的那样“烧得厉害，头昏脑涨”，他在讨论中专和韩明抬杠。如果不是因为有“君子动口不动手”的古训，这两个胖子就要像相扑选手那样扭到一起了。费边并不上去拉架，他有办法制止他们。他向别人提起了一个梦，世上最有名的脱星麦当娜做的一个春梦。在梦中，麦当娜和罗慕洛大帝的现代传人戈尔巴乔夫做爱。“赖莎在旁边吗?”有人问。费边说：“你们可以去问韩明，他知道得比我清楚。”韩明说他是从录像带上看的。他说他没有注意到这个细节，下次再看的时候，一定会格外留意。韩明顾不上和那个人吵了，他现在忙着给朋友们解释他看到的精彩镜头，并提议大家来讨论讨论那个有趣的梦。话题至此转换了。“世俗欲望”“大众传媒”与“集体迷幻”“性的深层的本质”，这些词语立即从舌面上跳了出来，蹦上了桌面。就像一群猫见到了被夹住的一只老鼠，每个人的声音都那么有力，那么欢快。刚才的不快，也就烟消云散了。

最后那两次聚会，这些精英们讨论的是怎样将思想转化为行动。他们决定先办一份杂志。既然已经到了秋天，到了收获的季节，那就有必要把每个人的思想都收割一下，存到谷仓（杂志）里面。这个时候，有一个叫“操作”的词，像瘟疫一样在社会上流行开了，大家都说，这事要好好操作一下，首先得起一个能叫得响的刊名，然后制定一个有弹性的编辑方针。为了更好更快地把杂志搞出来，有人建议可以请一些有实际操作经验的编辑来一起讨论。这个请人的任务就落到了交际多、门路广的韩明的头上。“你可别又领来一堆女人，”一个研究西马的人对韩明说，“这是正事，不能瞎闹。”

好像专门和那人抬杠似的，韩明那天领来的又是个女人。韩明显然料到别人会质问他，因此，他屁股还没有坐稳，就先把那个女人的情况介绍了一番。他说，她曾是一个校园歌手，因为男朋友死了，就主动退学了。所有与死亡有关的爱情故事，在九十年代，都带有神话的气息，让人忍不住肃然起敬。不信你看，每个人的眼神都很肃穆，包括那个反神话论者。这是费边后来向我转述的他当时的分析和观察。韩明这套话还真是管用，大家都饶了他。那个女孩在韩明说话的时候，静静地站在那里。她穿着一套印有许多暗红色方格的裙子，像三四十年代的大学生留着齐耳的短发。和韩明的解释相配套，她显得很悲戚，脸色有如晨霜。如果不是事先规定好了议题，我想，那次聚会的主题就变成“爱情和死亡”了。

开始给梦想中的杂志起名字了。每个人的肚子里都装有许多好名字。起名字是有学问者的强项，可以充分显示大家的视域、才学是怎样的广博和不同凡响，大家的脑子转得有多快。每个人都露了一手，有人建议叫《远东评论》，有人建议叫《日常生活》。反对这两种命名的人，说刊物不妨就叫作《反对》或《命名》。《反对》也遭到了反对，提出反对意见的是一个小说家，他建议用与刊物毫不相干的事物来给刊物命名，比如可以命名为《企鹅》。有人提出可以叫《蛋黄》。有人顺着“蛋黄”的思路往下走，说可以叫《变蛋》……提出来的名字，足足记满了六十四开本那么大的一张稿纸。做记录的是费边，他用的不是钢笔，而是新买的圆珠笔，以免书写工具发生缺墨水一类的故障。在记录的时候，费边脑子也没有闲着。他在分析、联想、臧否、推敲。“既然可以有各种命名，那就说明它其实无法命名，干脆就叫《无法命名》得了。”费边插了一句。在所有的名字当中，我就觉得《蛋黄》比较有意思。蛋黄可以孕育新的生命。由蛋黄可以想到鸡蛋。任何事物都可以比作一只椭圆形的鸡蛋，它有两个确定不移的焦点。这是个致命的隐喻：一个焦点可以看成我们占有的事实本身，另一个可以看成我们对占有的事实的批判。这两个焦点隐藏在脆弱的蛋壳之内，悄悄发力，使你难以把蛋壳握碎。每一种命名都被由才学和视野纺织的筛子过了一遍。到后来，筛子上一个名字也没有留下。龟兔赛跑的现代版本是这样的：乌龟跑出去之后，兔子们说，别急，哥们儿，咱们先在一起分析一下哪个跑道比较合适，速度怎样分配，哪个老兄带头冲刺。最要紧的是，哥们儿得先给跑步的姿势起个像样而中肯的名字，使它有名有实。

费边被人打断了分析和联想，大家需要他这个东家也说上几句。因为正在那里分析，所以费边脱口而出：“既然大家都在分析，那就叫《分析》算了。”这么说的时候，费边脑子已经活跃起来了，语言和思维同步，他对随口说出的《分析》作了一番分析。“这是一个分析的时代，”他说，“所有人都在分析，什么都得分析。教师在分析学生，学生在分析校长；病人在分析医生，医生在分析医院；丈夫在分析妻子，妻子在分析情夫；人在分析枪，枪在分析人；人对灵魂作出分析，灵魂对人作出分析；天堂在分析地狱，地狱在分析天堂……”费边口若悬河地说了一通，“分析”这个词就像穿糖葫芦的竹签，把许多毫不相干的事物都串到了一起，然后成群结队地从他的喉咙里跑了出来。费边说：“学生们在五月风暴中送给阿多诺教授的那两样东西也值得分析。粪便在分析玫瑰，玫瑰在分析粪便。”

“哦，粪便和玫瑰。”费边把这两个词又重复了一遍，既像是在重复诗中的一对孪生意象，又像是在强调他突然想起来的某对诗学概念。他一边说着，一边做着往下砍的手势。那手势并不生硬，带有抑扬顿挫的意味。说完这番话，费边刚好走到韩明带来的那个女孩子跟前。那个女孩子现在正盘腿坐在地板上，仰着脸看他。她的脸上已经没有了悲戚，有的是崇敬和迷惘，有如午后的向日葵。费边脑子现在正灵着呢，仿佛受一种惯性驱使，他又顺便对女孩子的迷惘作了一番分析：她迷惘是因为她在听我讲话的时候，与她的不幸疏离了。迷惘是记忆和遗忘的交错地带，是忠诚和背叛杂交的花朵。这一番话费边并没有当场说出来，他想他应该另外找个机会和女孩子好好聊聊她的迷惘。费边这会儿只是弯下腰，向女孩子表示了一下他对她的迷惘的关切。当然，他没有指出女孩子的迷惘，他用的词语是“不适应”：“你是不是有点不适应？来多了，也就习惯了。”女孩没说话。她看了看韩明，又看了看费边，然后浅浅一笑，算是对费边的关切的回报。

费边这套精彩的发言其实等于什么都没说，因为他的意见并没有被采纳。当然，所有人的话都等于白说了。为了不耽误议程，大家把命名的事悬置起来，开始讨论编辑方针和编委会的设置。方针也不是几句话就能说清楚的，那就先讨论编委问题吧。有人说，这事也没有必要啰唆，轮流坐庄就行了，要不就抓阄儿。这不是一个人的意思，好几个人都这么说。说这话时，人们口气轻松、表情俏皮。后来我才意识到，在这个时候，有许多人其实已对这份杂志不抱什么希望了。这份杂志还没有开花，就已经要凋谢了，果实只在人们的梦中漫游。有一个翻译家，刚才钻在厕所里，没有听清人们的议论，他出来之后，提议大家为刊物集资，并率先捐出了几张“大团结”（钞票）。别人也只好去掏口袋。这样一来，一些钢镚就在地上滚来滚去，互相撞击，发出了清脆的声音。

费边跑进书房拿出了一只彩陶，将钢镚收到了一起。他对朋友们说：“我可以拿出一笔钱，先把第一期印出来。”说这话的费边，颇有点舍我其谁的味道。人们都愣了，愣了一会儿，才像鸭子那样齐刷刷地扭过头，去看拎着彩陶站在客厅一角的费边。就在人们这样看费边的时候，那个由韩明引来的女人，走到了费边的身边，蹲在地上捡起来一把硬币，丢进了彩陶壶。

几年之后，当一切都已分崩离析、不可收拾，当各种戏剧性情景成为日常生活的写真集的时候，有一天，在朋友的婚宴上，我看着费边，又想起了杜莉往他的彩陶壶里丢钢镚的事儿。费边那天喝得不多，他一直在讲话。刚和新婚夫妇开过玩笑的费边，现在又给同桌的一对恋人讲起了柏拉图的爱情说。“柏拉图？不就是那个提倡意淫似的精神恋爱的人吗？”那个男的一边剥虾仁一边说。费边摇摇头，说：“朋友，你是只知其一，不知其二啊。柏拉图爱情说的核心恰恰是和受伤的肉体有关的。”他这么一说，我就知道他下面要说什么了。果然，他又讲到了蚯蚓、人和上帝。费边说：“柏拉图有一个著名的假说：最早的人就像蚯蚓，是雌雄同体的。后来，上帝从上到下把它劈成两半。人有多高，那伤口就有多长。人必须到处跑，寻找正在别处漫游的另一半，使那伤口愈合。来啊，让我为你们成功的漫游干杯。”那一对恋人爽快地把杯中的酒干掉了，而费边却滴酒未进。柏拉图的那个爱情说，原来是被他拿来劝酒的。

费边对往彩陶壶里丢钢镚的杜莉也说过这样一番话。当然，不是在她第一次来的时候说的。虽然杜莉第一次就瞄上了费边，但她并没有很快再来。她再次来到费边家的时候，朋友们的聚会已经风流云散。杜莉这次是和另外三个人一起来的：一对美国夫妇、一个女翻译。她先在楼下给费边打了一个电话，让他猜她是谁。费边平时最烦这种游戏，在他看来，这种对孩子游戏的滑稽模仿一点都不好玩。他刚刚起好一个题目，叫《午后的诗学》，正准备坐下来写一组诗，这个电话把他的心绪全给搅乱了。如果对方不是个女的，他就把电话放下了。对女人总该礼貌一些，再说了，在午后慵懒的时刻，听听一个女人的声音，也是可以提神的嘛。有那么一瞬间，费边倒是想起来打电话的女人可能是杜莉，但女人突然又说，她是和两个美国朋友一起来的，这一来，费边就猜不出来她究竟是哪路神仙了。费边说："你究竟是谁啊？你知道我很笨的。"女人像对老朋友说话的口气，说："你真的是笨。算了，不让你猜了，我们现在就上去。"

"其实，我已经猜到是你。"开门一看是杜莉，费边就这样对杜莉说。那个翻译把他的话翻译了一下，那两个老外笑了起来，也说了两句，意思是"你们果然是好朋友"，然后，他们乐呵呵地把手伸给了费边。

四个人盘腿坐在地毯上说了一会儿话，费边才明白老外怎么会摸到他这里来。原来美国人是通过一个朋友认识了杜莉，又听杜莉介绍费边的情况，对费边有了兴趣，跑来了解费边他们的学术沙龙的。美国人提到的那个朋友，费边也认识，那个人以前到费边这里来过，现在出国当访问学者了。

起初，四个人谈得还比较融洽。费边还没有掌握绕圈子的技巧，得知了对方的来意，他就开门见山地说他们的学术沙龙已经散掉了。他引用哈韦尔先生的话说，"它之所以会散掉，是因为某种东西一开始就已经瓦解，并消耗自身"。奇怪的是，美国人对此似乎并不太感兴趣，他们感兴趣的似乎是地毯上的图案。美国人把费边的话记下来之后，就把话题绕到了地毯上面，说他们家床边的小地毯上也有这样的图案。费边说，花卉的图案肯定是世界性的，因为玫瑰和狗尾巴花哪里都一样。说过这话，考虑到美国人有边聊天边饮酒的习惯，费边就起身给美国人倒酒。那个美国女人说她正在做“简·方达健美操”，只能喝“不带糖分的白色葡萄酒”（直译如此）。费边没有听说过这种酒，只好打电话给楼下的一家酒店。酒店里的人说，他们刚听说有这种酒，但还没有进过。有朋自远方来，得想办法让人家乐和乐和。站在电话旁边，费边想，钟子玉家里肯定有这种酒，要不要往他家里打个电话？每走一步都必须找到一个理由，费边再次想起了“有朋自远方来”这句老话，它应该能成为理由。钟子玉那里果然有。没过多久，钟家的小保姆就把酒送过来了。这时候，费边才知道那酒叫“干白”。

喝着来之不易的干白，四个人继续聊天。美国女人还是有点儿闷闷不乐。到中国来的美国男人，一个比一个快乐；陪丈夫来中国的美国女人，一个比一个不快乐。她快乐不快乐，我可解决不了，费边想。他现在要做的是，一方面欣赏女人的不快乐，一方面尽可能得体地回答男人提出的问题。当那个美国男人问怎样看待海明威喜欢待在古巴、博尔赫斯向往东方生活的时候，费边说：“那不是由于遗忘，即便是，那遗忘也并不是记忆的对立面，而是记忆的另一种称谓。对他们而言，那是一种返祖记忆在作祟。”

哦，记忆，那个美国男人好像知道费边要这么讲似的，随即把话题扯到了记忆上面。他现在提起的是另一种记忆。“费边先生，你对你的父亲有着怎样的记忆？这种记忆又在多大程度上影响了你的生活？”好像担心译员无法准确地翻译出自己的话，美国男人这时候突然说起了汉语，而且说得还很地道，至少和来内地卖羊肉串的新疆人不相上下。费边后来对我说他当时一下子就陷入了沉默。他说，有多少种说话的方式，就有多少种沉默的方式。他引用福柯的话对我说，有些沉默带有强烈的敌意，有些沉默却意味着深切的友谊、崇敬，甚至爱情。他还说，有些沉默是反抗，有些沉默是臣服。“我的沉默算是哪一种呢？我的脑子一下子被吸尘器吸空了。”费边说这就是他当时的感受。不过，请别替费边担心，他是难不倒的，我的朋友费边总是能找到化解问题的方式。他从沉默中醒过来，用说笑的口气把美国人踢过来的皮球又踢了回去。

“没有什么记忆，”费边说，“我对父亲的记忆只是一顶帽子。”

美国人是不可能知道帽子在中国特殊语境中的含义的。许多词语，如帽子、破鞋、老九……一旦进入中文，对老外们来说，它们就成了迷宫中的拦路虎。费边现在打的就是这副牌。那个老美果然被他搞糊涂了，迷惑地看着他，把肩膀耸来耸去的。“就是头上戴的帽子？”老美问。“难道帽子还能戴到脚上？”费边说。说过这话，费边就不肯再多说一句了，打过一枪，就该换个地方了。“咱们还是谈点别的吧，比如印第安人的头饰，林肯总统的泼妇，美俄宇航员在太空的联欢。”美国男人执意要和费边讨论意识形态问题。费边说：“咱们还是谈宇航员吧。谈到宇航员，我这里有两个现成的笑话。一则是，贵国的一艘太空船进入倒计时发射的时候，宇航员突然想大便，他请求把这泡屎拉在生他养他的地球上，没有得到恩准，他只好穿着臭烘烘的裤子进入太空，他的美好的太空旅行就被这泡屎给搅坏了；另一则你可能更感兴趣，因为这跟你想说的意识形态问题有关。说的是苏联的宇航员返回地球的时候，无法降落，因为他的祖国解体了，他不知道该在哪里降落，地面指挥中心也无法告诉他，所以他只好继续在太空漫游，靠数星星打发日子。”费边这样一边讲着，一边想，我讲这些有什么意思呢？想揭示人类存在的普遍困境吗？想用无聊的笑话来填补我们之间的缝隙吗？可不谈这个还能谈什么呢？路德说了，整个世界就像一个醉汉，你从这边把他扶上马鞍，他就会从那边栽下来。和美国人在一起谈意识形态，就是醉汉在搀扶醉汉。

双方都意识到话不投机，就只好喝酒。第一瓶酒喝完之后，费边去书房取酒（刚才那个小保姆直接把酒送进了费边的书房）。杜莉跟着走了进去。她说："我有点晕了。"她拍拍脑门，说自己有点腾云驾雾的感觉，甚至都没有听清费边他们都谈了些什么。"你要不要先去躺一会儿？"费边说。"不，晕着挺舒服的，我迷恋这种晕，"杜莉的嘴很甜，说，"我还想继续听你说话呢，你比老外还厉害，听你说话长见识的。"

那两个美国人看到费边不愿和他们多啰唆，就提出告辞了。杜莉和他们一起下了楼，并把他们送上了出租车。我的朋友费边就站在窗口，掀开窗帘的一角，看着在路边徘徊的杜莉。接着，他又来到了阳台上，站在这凸显于房间之外的地方，他感到他看得更清楚了。就在这个时候，回首张望的杜莉看见了他。杜莉朝他摆了摆手，既像是告别，又像是招引。

对费边和杜莉初次做爱的情景的描述，有两种不同的版本问世，而它们的版权都属于费边。第一个版本里说，费边就是在这一天的午后和杜莉上床的；第二个版本里说，事情是在两天之后才办妥的。当费边想举例阐明自己办事喜欢速战速决的时候，他就用第一个版本。当他想说明自己办事喜欢按部就班、悠着点儿来的时候，他就抬出第二个版本。我本人喜欢速战速决，所以我没跟费边商量，就决定用他的第一个版本来叙述故事。为了说得清楚一点，在讲的时候，我可能还得稍加一点儿自己的想象，把费边的版本适当扩充一下。

杜莉向费边招手之后，大约只过了几分钟，等在门后的费边就听到了敲门声。可以想象，这个时候的费边已经通过门上镶嵌的猫眼，看见了上楼上得有点气喘的杜莉。接下来要发生什么事，费边当然是清楚的。但即使清楚，也还要预先作点儿分析。在任何时代，性和真理都像麻花一样扭在一起。性的游戏就是真理的游戏，真理的游戏也就是性的游戏。费边的分析没能更好地深入下去，因为，他的手等不及了，把门突然打开了。没有必要的过渡，杜莉和费边就像费边刚才想过的那种麻花那样，很快扭到了一起。双方的动作都很娴熟，娴熟得就像拿着自己的钥匙去开锁一样。你一定觉得他们有点太急了，还缺了点什么。这一点费边也想到了，因此在开锁的时候，费边作了一点必要的补充，把

"我爱你"三个字说了出来。这三个字组成的是一个最简单的主谓宾齐全的句式，多说几遍也耽误不了多少时间，杜莉大概也懂得这个道理，就陪着费边把它说上了好几遍。在重复这句话的时候，杜莉插进来一句："费先生，我上来也只是想陪你再喝几杯。"

他们已经松弛下来了。一松劲，就有机会寻找借口了。费边想，找借口还不容易，他可以随口就来。他说："你说得对，我在阳台上转悠的时候，心里也在想，怎么才能让你上来再喝杯酒呢？正这样想着，你就来了。"说这番话的时候，"借口"这个词像一个磁性的亮点似的，在费边的脑子里飞快地移动了起来。如果找不到借口，杜莉说不定就不上来了。谈情说爱需要借口，开枪需要借口，干什么都离不开借口。借口往往被当成历史必然性上空飘的花絮，可是，如果这样的花絮飘满整个天空，遮天蔽日，挡住了所有的光亮，你还有什么理由否认历史和人本身就是一种借口。费边起身去给杜莉拿酒的时候，脑子仍在快速地转动着。他想到了诗学问题。"借口"，这个词放到诗歌里面，你甚至很难找到另外的词和它押韵。它是一个异物。它只能靠自我重复，来凑成拙劣的韵律。它被诗学排除在外，可它却构成了历史诗学。许多天之后，在一张酒桌上，当费边提到他对"借口"这个词的分析的时候，朋友们都拍案叫绝。朋友们当然不可能想到，费边那灵感的火花最初是这样闪耀出来的。

这一次，费边没跟杜莉谈柏拉图的爱情说。他得留一手，他要在合适的时候，像盖章那样，把这句话盖到杜莉的脑子里。以前，人们是先结婚后恋爱，时代不同了，现在是先做爱再恋爱，做得多了，也就像是恋爱了。有一天，吃着杜莉烧的对虾，费边感到自己确实有点爱上杜莉了，就把柏拉图搬了出来。他讲得是那么形象、逼真，好像真的有两个半边人在天空漫游。费边从杜莉的眼睛中看到她听得很入迷。他对杜莉说："现在好了，我们已经缝合到了一起，成了一个完整的人。"

杜莉眼睛仍然睁得很大，仿佛还被那虚无缥缈的情景吸引着。费边被她的神态逗乐了。他摇摇杜莉，似乎是要把她从梦幻中摇醒。

杜莉提了一个问题："我们的孩子，孩子的孩子，生下来的时候，也是小小的半边人吗?"

这个问题是那么简单，费边用筷子在桌上划拉了两下，就把问题给她解决了："没错，亲爱的。在他们还不能叫作人的时候，就已经是一半一半的了。一半叫作精子，一半叫作卵子。这个时候，他们漫游的区域比较小，只是在精囊和卵巢里兜圈子。当然，在另一个意义上说，区域也不能算小。因为我们这些人到处漫游的时候，都把他们随身带着。"

许多年来，费边一直在大学里教书。他喜欢待在这种地方。他认为，对中国知识分子来说，只有待在这里，才能感到角色和人不分离，就像演员和角色不分离一样。这话是不是有点玄乎?它是费边说的，玄乎不玄乎与我无关。如果你觉得听不太明白，你就把这话放到一边算了，不要去深究。

照我的理解，费边之所以要待在这种地方，是因为他可以在此获得舌头的快乐。他在这里讲述、分析作家的作品，无论讲得是好还是孬，都有法定的听众（学生们如果旷课，就别想领到象征知识分子身份的毕业证）。当然，费边课讲得还是不错的，可以毫不夸张地说，他是同系的老师当中讲得最好的老师。他肚子里装了那么多的知识，随口吐出一点儿，就够那些莘莘学子琢磨终身了。学生们对费边已经不是一般的尊敬，而是崇拜了。一次，一个学生在课堂上对费边说："费先生，当老师就要当你这样的老师。你就像一个国王。"费边连忙谦虚地摆摆手："可不能这样说，我做得还很不够。卢梭有一句话，我不妨在此提一下，'在盲人的国度里，独眼龙就是国王'。"

这里，我冒着以小人之心度君子之腹的危险，透露个秘密：费边乐意待在校园里，还有一个重要原因——他迷恋校园里的女孩子。据说，现在的女大学生只有一半是处女，究竟是不是这样，我没有统计过，不敢多嘴。我倒是就此事问过费边。费边说他也吃不准，女大学生纯洁也好，放荡也罢，先不去管它，有一点是可以肯定的，她们都很有味道，可以给人无尽的遐思。她们都受到了较好的文化熏陶，起码能读懂印在明信片、贺卡上的诗句，不像社会上的那些生瓜野枣，让人看着就头疼。费边还说，等你看够了这一茬，不用你操心，国家就替你把事办好了——让她们毕业了。夏天和金秋嬗变的时候，嗷嗷待哺的一批就又来了：

她们就像顺水漂流的花朵，

无需抚摸

食指就充满了芬芳。

可以说，在和韩明闹僵之前，费边每次走进校园，心中都是充满喜悦的。结婚之后，从那些漂亮的女大学生身边走过，闻到她们身上的那种少女的香气的时候，费边也会感慨生活不够完美，但这并不影响他那有理性的快乐。费边懂得这样一个道理：蛋糕上的糖霜虽然少了一点儿，可它终归是一只有糖的蛋糕。

杜莉生完孩子刚出院，有一天，费边正在家里观察孩子吃奶，电话响了，他没有马上去接，他觉得没什么比看孩子吃奶更有意思。别的不说，杜莉那刚从孩子嘴里拔出来的乳头就很有意思，它像桑葚一样饱满而且发紫。以前它们一直在游戏，是无用之用，现在开始工作了，呈现出无美之美。电话还在响着，杜莉催费边去接，费边只好朝电话走过去。是韩明打来的。韩明说："哥们儿，你是不是也在坐月子？"费边说："和坐月子差不多，我正在突击学习怎样做父亲。莎士比亚的《威尼斯商人》里说，了解自己孩子的父亲才是聪明的父亲。我正学着做一个聪明的父亲。"韩明说："男人只要那玩意儿没什么大问题，都能做父亲。"费边承认韩明说得没错，可他现在正在兴头上，不愿听这种话。他对韩明说："话可不能这么讲，男人要想当父亲，必须借助神力。"费边还想继续和韩明讨论做父亲的问题，可韩明打断了他。韩明说：

“闲话少说吧，我打电话是通知你来开会的。我或许应该提醒你一下，你已经有三个星期没有露面了。”费边这才突然想起，韩明可能是以系主任兼系党总支副书记的身份和他说话的。在杜莉入院前几天，韩明曾对他说过任命书已经签过只待宣布了。那一天，韩明还说上任之后他要烧三把火。第一把火是整顿纪律，每星期二下午的政治学习实行打卡制度，谁的卡片没有翻过来，就扣谁的奖金。这叫精神和物质挂钩，甭管好不好，先挂一段时间再说。第二把火是举办系列学术讲座，搞讲座就是吹小号，小号滴溜溜一吹，系里的学术气氛就会严肃而活泼。韩明说他首先要请的就是那个和他抬过杠的写《〈论语〉新注》的家伙，那家伙不是很能吹吗，那就让他来两次。韩明说他要烧的第三把火是在系里设立一项“学术基金”，谁在国家级刊物上发表了论文，就另付给谁一笔稿酬。别人眼红也没用，有本事他自己也找门路托关系发表去嘛，又没人拉他的后腿。费边记得，韩明过后还很得意地说了这么一句：“老子这三把火一烧，你看能把系里烧成什么样子!”费边当时不知道该对韩明说些什么，当韩明征求他的看法时，他说：“哈姆雷特有一句话很有意思：‘这是一个颠倒混乱的时代，唉，倒霉的我却要负起重整乾坤的责任。’看来，你要当哈姆雷特了。”这会儿，费边想，看来韩主任真的是走马上任了。

第二天就是星期二。在系主任办公室，费边找到了韩明。费边从衣袋里掏出一把大白兔奶糖，撒到韩明的办公桌上，说：“吃，吃啊，为我女儿祝福一下。”

韩明捏起一颗糖，起身上了厕所。在厕所门口，韩明把脑袋探出来，示意费边过去一趟。费边不知道韩明的葫芦里卖的是什么药，就迷迷糊糊地走了过去。站在小便池前，韩明说："哥们儿，这糖我是要吃的。"说着，他剥开糖纸，将大白兔塞到了嘴里，"这糖我吃了，可奖金还是要扣的，扣你这个月的五十元奖金。"费边说："扣就扣了，我没意见。我愿意当一只鸡。"

"不是鸡。我这是杀猴给鸡看。"韩明说，"这样吧，这个月的奖金我替你出，算是我送给侄女的一份礼物。喂，孩子的名字起好了没有?"

费边说："你这么一说，我就想到孩子该叫什么了。这是孩子收到的第一份礼，那叫她费礼算了。"

"费礼?"

"对，就叫费礼。'礼'字和杜莉的'莉'字谐音，挺好的。要紧的是，它可以纪念我们之间的友谊。"

这个时候，这两个人之间的关系还是说得过去的。用费边的话来说，就是"我们虽然不像过去那么热乎，但在别人眼里，我们还像狗皮袜子那样，没有反正之分"。他们闹僵是在这一年的六月中旬，在歌咏比赛的彩排现场。每年的这个时候，学校都要筹备歌咏比赛，先是各系组织排练，然后比赛，获得前几名的系再联合组队，拉到社会上和别的单位比赛。以前，系里总是出钱雇用省、市歌舞团的演员来担任领唱和伴舞，再叫上一些闲着没事、喜欢扎堆儿的教师，拼凑起一支杂牌军去和别的系较量。可这次不同了，新官上任的韩明向学校提出，各系都不能使用“雇佣军”，要凭真本事进行一次公正的比赛。他的建议被学校采纳了，并以红头文件的形式发到了各个系里。其实，韩明过度认真还是可以理解的，这是他上任以来遇到的第一个大型活动，他当然想把它搞好，给自己的从政生涯来个开门红。

最后一次彩排的时候，精益求精的韩明突然发现有几个教师是在那里滥竽充数，因为他们的口型缺少必要的变化。费边做得更绝，别人张嘴的时候，他的嘴闭着，别人闭嘴的时候，他的嘴却张着。韩明恼了。他让这几个人出列，把他们叫到舞台的一侧，问他们是否存心要给中文系脸上抹黑。教现代文学的那个老师说他想唱，可就是记不住歌词。韩明眉毛一挑，说：“别逗了，你能整段整段背诵《野草》，却记不住这几句歌词？”就在这个时候，被晾在一边思过的费边忍不住了，他感到自己得说上几句了。他给那个教师递了一根烟，说：“这一点儿都不能怪你，要怪只能怪这些文理不通的歌词。”费边的话让那个挨训的教师也听迷糊了。费边说：“这种文过饰非的歌词，虚张声势、咋咋呼呼的曲调，和真实相违背，先天就具有被人遗忘的性质。”他又问韩明：“你说是不是这个理儿？”费边后来告诉我他的话打动了韩明，因为韩明本能地呈现出了恍然大悟的表情。费边说按照他当时的理解，韩明之所以没有接他的话茬儿，是因为聪明的韩明知道有些真理是无须讨论的。韩明把费边拨拉到一边，对那个著有《建安风骨论》的副教授说：“你呢，你也是记不住歌词？”副教授说："歌词我倒是记住了，曲也听熟了，问题是，往人堆里一站，听大家像打狼似的那么一吼，我的舌头就不听使唤了，舌头就跟过敏了似的。"这时候的费边，就像一条经过特殊训练的警犬，听到一点儿声音，闻到一点儿气息，就会条件反射地作出分析和判断。"他说得对。这些词曲一旦和个体经验相脱离，就成了虚妄之物。记不住它，是因为它遭到了人的记忆的排斥。蒙田说过，记忆奉献在我们面前的，不是我们所选择的东西，而是它所喜欢的东西。记住了，可转眼就忘了，那是因为即便借强势力量侵入了记忆，也无法在时间中扎根。记住了没忘，那也白搭，因为你发出的是别人的声音，它取消了个人存在的真实性。刚才这位老师用到了一个词——过敏，这个词用得好啊。过敏性反应的常见症状是休克、荨麻疹、皮炎，发不出声音，可以看成'舌头的休克'。"费边觉得自己的这套分析很有点味道，他不是一个自私的人，不想一个人独吞，就把它贡献了出来。费边这种说话风格，韩明又不是没有领教过，韩明以前对此总是赞赏有加。可这一次，费边刚说完，韩明就对身边的人说："大家看啊，我们的费先生是不是吃错了什么药。"

没等别人作出反应，韩明就对费边说："我还没有问你，你怎么就像娘儿们一样啰唆了？"

即便是傻瓜，也能听出韩明话里的敌意，何况费边并不是一个傻瓜。看在多年朋友的分上，费边没有立即让韩明难堪，他只是说："我来之前，确实吃了点药。我吃的是健忘药。我把这些陈词滥调全忘光了。”

别以为费边能轻易把韩明的嘴巴堵住，韩明也不是吃素的。当初能混进那个学术沙龙的人，都是有几把刷子的。现在，博学的韩明对费边的回击，同样是引经据典的。韩明说：“健忘药可是个好东西。让我们感谢健忘的人，因为他们也忘却了自己的愚蠢。”他刚说完，费边就知道他引用的是尼采的话。费边对韩明说：“尼采要是知道你在这种场合引用他的话，在天之灵一定会感到不安的。”

费边想起了《李尔王》里的一段台词，只是他记不起来那是哪个角色的台词了。

这年头傻瓜供过于求

因为聪明人也要装作糊涂

顶着个没有思想的脑壳

跟着人画瓢照着葫芦

文人过招，一招一式都很有讲究。费边和韩明就像两个提线木偶，在后面提线头的，都是他们景仰的大师。他们就那样闹着，好像都对此上了瘾。闹了一会儿，韩明说：“大人不计小人过，我不跟你闹了。费边，你要是不想唱，现在就可以走。”费边不走，他说他想听韩主任唱，“你先唱唱，让大家听听嘛。”费边知道韩明肯定也没有记住歌词，因此他鼓动人们欢迎韩明来个男声独唱。

韩明慢悠悠地说："我是公鸭嗓子，唱不好的。你们要是真想听歌，那就到费边家去听。你们大概还不知道，费边的夫人杜莉女士在被学校开除之前，曾是一个人见人爱的校园歌手。"

费边可没有料到韩明会来这一手。他正要质问韩明是什么意思，韩明又对他说："你要是允许大家去，我现在就出去叫车，车钱由我来付，让大家领略一下杜莉的风采。"

费边出手了。他朝韩明捅了一拳。

有那么一段时间，我每次见到费边，聊着聊着，他就提起他的出拳。"那一拳要是打着他的话，非把他的鼻子打歪不可。"费边虽然没有打着韩明（韩明当时机灵地闪了过去，费边打空了，还差点摔倒在地），可费边知道两个人的关系就这样玩儿完了。他想韩明肯定会寻机报复他。"他不会放过我的，一个槽里拴不住两条叫驴，你看好了，这小子肯定会在我背后捅刀子的。"怎么个捅法呢？费边排列了一下，觉得不外乎这么几种：在学生中活动，收集他平时课堂上讲过的一些不够慎重的言辞，将它们整理成册，交给有关领导，将他赶下讲台；在职称问题上给他穿小鞋；在朋友当中造他的谣，说他出于嫉妒，拆老朋友的台……

"母鸡不撒尿，各有各的道。真的闹到这一步，我也不是手端豆腐的，也能想办法逼他就范，"费边说，"我上头有人。"我注意到，这个时候的费边经常引用中国的民谚和典籍，诸如"先下手为强""老虎屁股摸不得""死猪不怕开水烫""曲则全，枉则正，洼则盈，弊则新""人不犯我，我不犯人"……它们言近而旨远，形象而生动，都是中国人智慧的结晶。这些本土的民谚、典籍和西方哲人的格言、警句，经过了费边的高压锅，就成了色香味齐全的什锦菜肴，那实在是丰富的精神食粮啊。

但是，有一天，费边兴致勃勃地谈论了一通他准备对付韩明的计划之后，突然也对自己所有使用的杀手锏作了一通分析。他说，这其实是典型的窝里斗，是吃饱了撑的。他又说，据说人类一思索，上帝就发笑。其实轮不到上帝发笑，人类自己就忍俊不禁了。那一天，费边还给我讲到了铁血将军巴顿的故事。巴顿在二战时率领巴顿军团驰骋沙场，是二元对立时代的英雄，他是一个被战争异化的人，和平是他的地狱。说完这话，费边就陷入了长久的沉默。我想他辞职的念头大概就是那个时候产生的。当天晚上，我回到家，接到了杜莉打来的电话。杜莉问我和费边都谈了些什么（她这样追问，使我感到很不舒服）。她说，费边好像犯病了。我紧张了起来，问是什么病。杜莉说，费边正在草拟辞职报告。她怀疑他是发高烧，烧糊涂了，就把体温计塞到了他的嘴巴里。杜莉说费边的体温现在是三十七摄氏度，只比正常体温高出一点儿，还不至于把人烧得神志不清，她不能不怀疑费边的脑子是否受到了什么刺激。我说："那怎么可能呢，他或许是在和你开玩笑。"我这么一说，杜莉的嗓门就抬了起来，把我吓了一跳。她说："别装蒜了，去把费礼的屁股擦了。"我赶紧把电话放下了。

是不是由于杜莉的反对，费边才打消辞职的念头，我不知道，反正费边并没有真的辞职。在第二年的秋天，费边的对头韩明被撤职之后，同事们都在背后议论，说费边有可能升上去，顶替韩明坐上系里的第一把交椅。这种议论是那样盛行，连我这个局外人都有点信以为真了。我以为费边之所以一直没有向我透露，是因为他想在最后给我一个惊喜。这么说吧，我当时已经打起了小九九，等费边一握住权力，我就让他帮忙把我弄到他的学校，当一个驻校作家。可最后，费边让我们这些人都失望了。

事后，我曾向费边谈起过我当时听到的一些说法和我自己的打算。费边说："并不是没人要我干，上头确实有人找我谈过话，可我不想干，我想当一个自由知识分子。"他告诉我，找他谈话的就是主管文教的钟副市长。他说钟副市长曾问他是不是想换个地方再当官，他说不是。他对钟副市长说他也不想换地方，因为一换，外面所传的韩明是他搞下去的说法，不是真的也变成真的了。费边说杜莉倒是想让他捞个一官半职，可他没有搭理她那么多。

我现在突然发觉，我其实无法描述杜莉这个人，甚至连她的面貌我都无法准确把握住。就像变动不羁的现代生活不可能在记忆中沉淀为某种形式，让人很难把握一样，杜莉相貌的多次变更，使我在试图描绘她的时候，显得无从下手。自从我见到杜莉以来，她的相貌就缺乏稳定性，而且越到后来变化越快。现代各种化妆术、美容手术，在每一个爱俏的女人脸上找到了用武之地。它们不仅能够改变女人皮肤的颜色、松紧度，而且能使女人脸上的骨头、重要器官甚至种族特征，在午后短暂的时间内发生变化。

在费边看来，有一个若有若无的杠杆在引导女人的脸蛋，使那些脸蛋越来越标准。男人无法通过视觉来判断对方是谁，只好依靠嗅觉，通过闻体味来判断和自己同床共枕的女人究竟是谁。可嗅觉也会失灵，因为一滴香水就能改变一个女人的体味，甚至能把一个人身上的狐臭味给盖掉。看来只好依靠听觉了。费边说通过听觉是不是就一定能分辨出对方是谁，他是不敢把手指头伸到磨眼儿里打赌的，因为人的嗓子同样会变。由于各种发声方法的引进，一个女歌手在行家的调教下，几天之内就会变调。费边说，算来算去，似乎只剩下一项判断依据，那就是习惯，但这也并不是非常可靠。马克·吐温说，习惯就是习惯，虽然任何人都不能把它扔出窗外，但是可以将它慢慢地轰下楼。费边的这段精彩论述，显然来自他对杜莉的观察和思考。有一次，我和费边在谈起这方面的话题时，费边突然对女人的这种变化作了一点勉强的肯定。他神情诡秘地说："也不能说一点儿好处都没有，和这种变来变去的女人做爱，你时常会感到你是在帮大众通奸。一般的通奸只能让人感到惊喜，这个呢，还能让你有一种很磅礴的感受。"

一九九三年的春天，我在济水河边的小广场再次遇到杜莉的时候，一下子就想到了费边的精妙论述。当时，我真的差点没把杜莉认出来。她把鼻梁垫高了，新割了双眼皮，她的下巴似乎也动过——她原来的下巴比较短，现在变得比以前尖了。或许是由于化妆的缘故，杜莉的嘴巴也变得比以前更大了。如果你认为青蛙的嘴巴是美的，那你就得承认杜莉的嘴巴也是美的。杜莉连名字都改了。在演出的节目单上，她的名字叫“卡拉”。对一个想在江湖上混出点名堂来的女歌手来说，这个名字确实非常OK，因为它能让人过目不忘。我猜对了，这个名字果然是费边给起的。

我是应费边之约，来小广场这里欣赏杜莉的演出的。这是我第一次在公众场合听杜莉演唱。坦率地说，她唱得并不好（至少在我看来），她的嗓音有点沙哑、疲倦，唱起来也毫无激情，和我想象中的杜莉有着云泥之别。这一天，杜莉按要求唱了一首老歌——《北京的金山上》。唱完之后，她来到我和费边跟前，征求我们的意见。她征求意见时的神态娇羞可爱，同时又显得很郑重其事，让人马虎不得。我说，唱得好啊，有点老歌新唱的味道，真是有意思啊。我正担心会不会惹杜莉不高兴呢，费边接口说，这就对了，要的就是这种效果。

“你说的是真的吗？”杜莉问我。

我说是真的，照这条路走下去，或许能唱出一点儿名堂的。千万别怪我言不由衷，我说的这些话都是费边事先交代过的。当然，费边不交代我，我也不可能实话实说。对朋友的老婆，客气一点总是没错的。我刚讲完，费边就说：“这是根据她的嗓音条件作出的一个基本定位。这样搞没错，在美学上，这就叫作以丑来表现美，可以传递出一些复杂的感情，它还有点像叙事学上讲的复调。”说到这里，费边突然像拍蚊子那样，在自己的脑门上猛拍了一下，然后又像弹奏乐器似的，几根手指在脑门上弹来弹去，他的眼睛一下子显得很亮，他说：“我知道怎么对付那个老家伙了。”

“哪个老家伙啊？”杜莉笑着问费边。

“陈维驰啊。”费边说。

杜莉对费边那样大惊小怪很不以为然。她说：“你找他干什么？钟叔叔不是已经给他打过招呼了吗？”费边说：“让我怎么说你好呢，说你头发长见识短吧，你又不高兴。不找他行吗？我可不能让你给他留下走后门的印象，我要亲自去说服他，免费给他上一课，让他知道选你参赛、获奖，是公正的选择。”

陈维驰是本市的音协主席，是即将举行的大型声乐比赛的评委主任。此人在法国、奥地利、上海、延安、北京都生活过，是音乐界有名的作曲家和声乐理论家。杜莉一直想让费边带她去拜访一下。有一次，费边正在我那里聊天，杜莉把电话打过来了，催费边去找陈维驰。费边说他已经给钟叔叔讲过了，由姓钟的去打招呼。放下电话，费边就对我说，托尔斯泰那句话说得真是地道啊，女人是男人身上世俗的肌体。他告诉我他实在不愿搭理陈维驰。他说：“陈在任何时代都是弄潮儿，从不犯错误。爱默生说，从来不犯错误的人，一定是谬误的化身。这种人是不能打交道的。”其实，就我所知，费边不愿见陈维驰，主要是因为陈维驰还是个巧舌如簧的理论家，既能把一根稻草说成金条，也能把一根金条说成稻草。如果你没有足够的思想准备，你就别想说服他，见他还不如不见，因为那只能把事情搞得更糟。

为了让自己的老婆高兴，许多天来，费边一直在寻找和陈维驰谈话的角度。在他看来，角度的问题是个非常重要的问题，找角度具有非同寻常的意义，它类似于点穴。干什么事都需要找角度，写诗、打井、在公共汽车上放屁、分析课文，都需要角度。谈话也是这样，特别是和陈维驰这样的永远吃香的家伙谈话，如果你事先选不好角度，对方可能会像轰苍蝇那样，把你轰出门外，或者干脆用苍蝇拍把你给拍死。

费边是第二天去找的陈维驰。在路上，他一直在想陈维驰首先会问哪些问题，他该如何应答，然后在应答中穿插进自己的问题，进而把陈维驰摆平。费边想：我或许应该先说我喜欢他的作品；可是，如果他问我喜欢他的哪些作品，我就傻眼了，因为我只记得他的一首歌，准确地说，只记得由他谱曲的一首歌中的一句歌词。那是些什么歌词啊，“官逼民富咦呀嘿，民呀不能呀不富”。费边想，这个老陈可真是个大滑头啊，轻而易举地就把一句成语化成一管皮炎平软膏。这是一个春天的早上，从黄河故道吹来的风沙，弥漫在城市的大街小巷。被水淘洗得干干净净的沙粒，一进入城市就变成了脏兮兮的尘土，它们像桃毛一样，使人皮肤发痒。费边乘坐的面的在尘土飞扬的道路上奔波。要在平时，费边或许会对那些尘土作出精彩的分析，但眼下，他顾不上这个了，他得抓紧时间分析陈维驰的心理。陈维驰是一只狐狸，和狐狸打交道不是闹着玩的，一定要谨慎。阿奎那在《神学大全》中说，谨慎是所有德行的原则。费边想自己不能提那首歌，八面玲珑的陈维驰或许会认为费边是在拐弯抹角地骂他。怎么办呢，总不能一上来就直奔主题吧？还是需要先说一些陈词滥调的。费边一时有点慌神了，因为不知道该说哪些陈词滥调。离陈维驰家不远了，他得赶快把这个问题解决掉。于是，他让司机把车开到路边。司机以为费边要下车了，就把发票撕了下来。费边只好对司机说他还没有到站，他只是想让车停下来，使他可以安静地思考一个问题。司机迷惑地看了费边一会儿，问他需要思考多长时间。费边说："这可说不定。"司机显得很不耐烦，说："不说那么多了，你交钱走人吧。我还得到丈母娘家接人呢，去晚了，那老东西饶不了我的。"

见司机说得那么可怜，费边就把他放走了。现在，费边站在路边，抓紧时间想着问题。有那么一段时间，他的注意力集中在"陈词滥调"这个词上。费边想起很久以前，他曾在朋友的聚会上引用过一段哈韦尔先生的话来说明自己的观点。那段话他现在一时想不起来了，能想起来的只是其中的一句：陈词滥调是这个世界的中心原则。哈韦尔恶作剧般的反讽使费边这个引述者在当时感到无比畅快（仅仅是引述本身就已经让他畅快了）。然而现在，当又想起这句话的时候，费边却怎么也畅快不起来。他站在路边的窨井盖上，在飞扬的尘土和杂乱的人群中，脑子里乱成了一团麻。

费边多虑了，当他真的赶到陈维驰家的时候，事情远不像他事先所想的那么复杂。他和陈维驰很快就聊开了，聊的并不是陈维驰的作品，而是巴赫的《马太受难曲》和陈维驰计划中的婚礼。之所以聊这个《马太受难曲》，是因为费边走进陈维驰的工作间的时候，那庄严的旋律就在他耳边回响。陈维驰的小情人把费边领进去之后，就退了出去。费边和陈维驰以前曾在各种会议上见过面，所以陈维驰一下子就把费边给认出来了。陈维驰开口就问："费边，这支曲子你是不是也常听？"费边说他知道巴赫，但听得很少。

"起码得听听这一首，此曲只应天上有啊。"

陈维驰说着，就把音量调小，给费边补了一课。陈维驰说，说起来这首曲子也是应命之作，因为它是献给王后的。应命之作能写得如此漂亮，确实可以给我们很多启发。陈维驰说，这支曲子在一七二七年首演的时候，大厅里鸦雀无声，人们仿佛在教堂里倾听福音，参加礼拜仪式。陈维驰招小情人给费边倒上菊花茶，并让费边发表一下自己的看法。费边说："陈先生说得对，巴赫就是巴赫，就像上帝就是上帝。"

"和这些大师一比，我们的作品就像是济水河上漂浮的垃圾，惭愧啊惭愧。"陈维驰说，"我想好了，这次结婚，我一定要选用这首曲子来代替《婚礼进行曲》。"一谈到婚姻，陈维驰的那个小情人就进来了（刚才她在外面一定竖起耳朵听着呢）。陈维驰说他初步定在“七一”结婚，按照他的设想，他想到教堂里举行婚礼，可这是在中国，他不得不考虑到国情和自己的身份，所以他现在感到很为难，只好在平时把这支曲子多放几遍，聊以弥补缺憾。陈维驰的那个小情人插嘴了，说：“当然得考虑周全，要是在教堂里搞，钟副市长可能就无法来了。”她又对费边说：“大诗人，你要是能把钟副市长拽到教堂里，我们就在那里搞，然后到教堂门口的那个海鲜城撮一顿。”

“陈先生，你家里有没有电脑?”费边突然来了一句。他的发问显得没头没脑的，把陈维驰和他的小情人都问傻了。

费边说：“你们可以先在互联网上举行个教堂婚礼，然后在‘七一’再举行一次，这样就两全其美了。”见陈维驰和小情人还在那里发愣，费边的话匣子就打开了。他说现在最时髦的婚礼就是在互联网上进行的，新郎、新娘、神父和亲朋好友，从各个地方进入虚拟的网上教堂，完成网上联姻，让你不费吹灰之力，就可以过一把教堂婚礼的瘾。

在这里，我得顺便说一下，费边对网上举行婚礼其实也是一知半解，因为这个信息是我提供给他的，他甚至都不知道那是日本某电脑公司搞的玩意儿。可费边现在把那对傻帽儿唬住了。他说如果那老夫少妻感兴趣，他可以帮他们进入那个神奇的互联网。

太好了，不用说什么陈词滥调，不需要有什么心理负担，只是谈谈电脑，就和陈维驰沟通了。我想，这时候费边心里一定非常得意。他现在觉得应该趁热打铁，把杜莉的问题解决一下，然后就拍屁股走人。费边对陈维驰说：“陈先生，见你一次很不容易，我想趁这个机会向你请教一些学术问题。”陈维驰没吭声，但他的脸上浮现出了笑意，那笑意告诉费边，他愿意随时解答费边的难题。费边说这些问题是他听了杜莉的歌唱之后才想到的，不知道对不对，愿聆听先生的教诲。费边的这套话很妙，应该记下来。

亚里士多德首次提出艺术可化自然丑为艺术美，认为给人痛感的事物如果能在艺术中得到忠实的描绘，就会给人以快感。莱辛认为艺术家可以把丑作为一种组成因素，自然中的丑往往更能表现性格。丑并不是假和恶。陈先生，我觉得这些大师的说法都非常有道理。实际情况大概也正是这样，丑一旦进入审美领域，就具有了积极的审美价值了。而杜莉，就是那个准备参赛的“卡拉”，她的歌声，似乎正系于这些背景性命题。陈先生，我也不知道我这样想有没有一点儿道理。

这么讲的时候，费边突然觉得杜莉的那些问题似乎还不能完全挂上边，有点驴唇不对马嘴的味道，但既然讲了，就不要耽搁了，干脆一口气讲完算了。这样讲完之后，费边期待着陈维驰作出反应。过了一会儿，陈维驰终于开口了。陈维驰说：“我完全同意你的看法，不过，我们就不要再在亚里士多德的身上浪费时间了。费边，你说奇怪不奇怪，昨天，有一个歌星缠了我半天，她连亚里士多德是哪个时代的人都不知道，竟然也向我谈起了亚里士多德，亚里士多德好像与麦当娜、卡拉斯一起，成了她们的偶像。费边，咱们还是来关心关心钟副市长的身体吧。”

费边的脑子转得很快，他意识到陈维驰是想搞清楚他和钟副市长的关系到底怎么样。这个问题难不倒他，他觉得自己照样有把握唬住陈维驰，只是他一时不知道该从何谈起，因为关于钟某人的现状，他知道得并不比别人多。钟患的是前列腺炎，走路时习惯叉开腿，给人的感觉是，好像他的大腿根夹着一个火球。这谁都知道，因为钟每次在电视上出现的时候，都是这么个模样。别人即便不知道他患的是前列腺炎，也能猜出毛病就出在那个部位。费边这么想的时候，他发现自己已经推开椅子站了起来。现在，他知道自己要干什么了——他要把钟副市长的走姿学给陈维驰看看。

费边郑重其事地在陈维驰家的木质地板上走了一圈，边走边说："没办法，他只能这样走，因为他的那个地方怕磨。"费边讲的本来是众所周知的事实，可经他这么一学，就带有某种私人性了，仿佛只有他知道得最清楚。陈维驰和他的小情人都被费边的滑稽模仿逗乐了，连费边本人也忍不住哈哈大笑起来。一种狂欢气氛，就在翻来覆去播放的《马太受难曲》中，达到了高潮。

费边大概觉得有点不过瘾，还应该再"透露"一点儿什么，再逗逗眼前的两个活宝。于是，他又顺口胡诌了一通：“只有回到家里，他才可以少受一点儿苦。是这样的，他一进门，就把屁股放到了轮椅上，由小保姆推来推去的。他在家里很少走路，只有上厕所的时候，他才会走几步，因为小保姆无法陪他撒尿。”

陈维驰的那两只多次指挥过乐队的手，现在夹在双膝之间，快速地搓来搓去。他笑得太凶了，费边甚至有点担心他笑死过去。

一九九三年的六月底，杜莉如愿参加了那个全市声乐比赛，她演唱的是陈维驰的新作——《第一个节日》。那一天，费边早早就赶来了。他坐在舞台下面，拿着节目单，着急地等待着卡拉女士的出场。因为参赛歌手有很多，所以费边等着等着，就觉得不应该这样白等，应该思考点什么问题，否则时间浪费太可惜了。《第一个节日》这个歌名引起了他的兴趣，他对“节日”这个词作了一番长驱直入的思考。费边后来的那篇很精彩的短文——《我们每天都在过节》，就是在这个圆形剧场里构思出来的。费边发现，我们几乎把所有的日子都命名为一个节日，除了清明节需要放一些低沉的哀乐之外，其余的日子，都在召唤着人们打开嗓门，引吭高歌。他还发现，其实几乎每一个节日的背后都隐藏着死亡，只有众多的牺牲和重大的死亡事件，才能使某一天成为让后人欢庆的节日。最后，费边拐弯抹角地推导出这样一个结论：我们这样热衷于过节，是为了我们个人的生命在节日的庆典中，变得像桃皮上的绒毛一样微不足道。这一天，费边正在那里长驱直入地思考问题的时候，一个留着漂亮的络腮胡子、穿着黑色圆领短袖衫的男子来到了他的身边。这位男子自称姓李，叫李辉。他手中捧着一束花。他说他刚才在门口看见了费边，就跟着进来了。自称李辉的人说自己既是费边诗歌的热心读者，又是卡拉的歌迷。“我以前听你朗诵过诗歌，从那时起，我就是你的崇拜者了。爱屋及乌，后来，听说卡拉是你的妻子，我就喜欢听她的歌声了。”这个看上去比费边小不了几岁的年轻人，不像是个盲目的追星族。费边把腿从座位的扶手上取下来，把身体放正，打量起这个人。年轻人显然担心费边不相信他，就当场低声吟诵了费边的一首短诗。

神啊

有人通过祈祷走近你

有人通过犯罪跑近你

而我，通过语言的枝条

编织你的荆冠

费边没有理由不激动。在这世俗的剧场里，被冷落的诗歌之鸟突然栖落在他的肩头，他当然要激动。最近一年，他很少写诗，可在内心里，他仍像古埃及人对待木乃伊那样，精心守护着自己的诗神。舞台下面的光线有点暗，再加上那人的胡子太多，费边一时无法看清对方的脸，这更加深了那梦幻般的气氛。这就给费边留下了这样一种印象：那个年轻人仿佛是在他的梦中出现的。费边想跟年轻人说上几句，但年轻人很快就告辞了，并说以后会登门拜访的。费边搞不清年轻人从哪里来，要到哪里去，又不便多留，一时就有点迷惘。他想站起来送送人家，可他刚站起来，就被对方按进了座位。

这一天，杜莉得的是二等奖。这实际上是本次声乐比赛的最高奖，因为一等奖是个空缺。在事后散发的宣传材料中，评委们说，之所以让一等奖空缺，是想让歌手们知道艺无止境。陈维驰的说法更妙，他说这是要把一等奖看成对未来的召唤。晚上，费边夫妇请评委们喝完庆功酒，载誉回家的时候，费边正想用做爱的方式向杜莉表示祝贺，杜莉突然说她现在不想上床，想一个人到河边走走。“你是不是想单独体验一下什么叫高处不胜寒?”费边说。杜莉笑了，说自己今天发挥得并不理想，有几句歌词甚至唱颠倒了。“我怎么没听出来?”费边说。他本来想安慰杜莉的，没料到杜莉一下子发火了。“你知道什么呀?”杜莉说。

杜莉很晚才回来。她回来的时候，费边正在书房里翻找自己的诗稿，他想重温一下自己的那首旧作，看看自己在那句“编织你的荆冠”的后面还写了些什么。今天如果不是那年轻人念了那么一遍，费边就想不起来自己还写过如此精彩的诗句。杜莉靠着书房的门站了很久，看费边在那里挨个儿拆着牛皮纸信封。她站得有点不耐烦了，就走到费边身边，把他手中的信封夺掉，然后拉着他的手，将他牵到了阳台上。

这天深夜在阳台上发生的一幕，日后必定让费边反复回忆。杜莉往阳台上走的时候，衣服已经一件件掉了下来。费边不知道杜莉的兴致怎么说来就来，可除了仓促应战，他似乎没有别的选择。好在阳台已被铝合金封死了，好在玻璃外面是无边的夜色和婆娑的树影，否则，他们在吱吱嘎嘎的藤椅上的交媾就会影响别人视听。费边怀疑杜莉是不是又怀孕了，因为她在怀费礼的时候，性欲就旺盛得有点出奇。我妻子怀孕的时候，费边曾和我开过玩笑，问我是否能顶得住。他对我说，对于别的雌性动物来说，怀孕意味着发情期暂告一个段落，而人却相反，孕妇往往更来劲，就像两端都燃着了的蜡烛。费边说，国外的一些专门提供孕妇的妓院，生意之所以非常好，就是由于这个原因。那天费边在藤椅上，一边忍受着杜莉的反复呕吐，一边就在思考这些问题。后来，费边陪着杜莉叫唤了起来。费边的叫声类似于猪叫，鼻音很重，嗓子眼儿里好像还堵着痰块。杜莉的叫声更绝，像是在唱某段咏叹调，只是其中夹杂着一些打嗝似的声音。

费边他们忙完之后，又在阳台上坐了很长时间。不消说，费边这时又想起了几年前在阳台上发生的那一幕。当时他站在阳台上，看着杜莉送那两个老外上了出租车之后，在那里徘徊。后来杜莉回来了，两个人像麻花那样扭到了一起，很可能杜莉当天就怀上了费礼。费边现在问杜莉："你是不是又怀孕了？"杜莉的说法是模棱两可的，她说可能是也可能不是。杜莉还灵机一动，对自己刚才的疯狂作了一番解释："怀上就得打掉，一打掉，你就好多天无法做爱，这就算是提前给你的补偿吧。”费边听她这么一说，脑子就转开了。他认为这是女人最笨拙的自我辩解，有点女性意识的人，总是以为男人把女人看成性工具，照她们这么说，男人实际上就成了忙着挣工分的劳力。费边正这么想着的时候，听见杜莉说她想到北京去谋求新的发展。杜莉说她已拿到陈维驰先生的一封推荐信，陈先生把她推荐给了中国声乐界的新权威之一靳以年先生。她告诉费边，靳以年曾是陈先生的学生，连陈先生都认为姓靳的是青出于蓝而胜于蓝。

费边装作没听说过靳以年的名字，但他也明白杜莉知道他是在装傻，因为他们在前一段时间还谈起过这个人。回到床上，费边突然想到自己还有个女儿呢。他对杜莉说："你走了，费礼怎么办呢，总不能一直把她放在我妈那里吧？再说，你又舍不得她。你是把她丢在家里，还是带走？”杜莉说她在北京最多待一年，很快就会回来的。为了让费边放心，她又说她不会在那里长待的，因为她现在信奉一句老话，叫作“宁当鸡头不当凤尾”；再说了，北京离这里并不远，她可以随时回来，费边也可以随时去，他们可以经常团聚，享受小别胜新婚的乐趣。

在以后的日子里，费边和杜莉又就这方面的话题讨论过多遍。费边又想到了柏拉图的那个著名的假说，他仿佛真的看到了他的另一半自我在远方漫游。让费边有点纳闷儿的是，他本来就该对另一半自我的远去恋恋不舍的，可他却感到，他其实巴不得她早点离去。恋恋不舍只是停留在嘴上，费边在心里时常念叨的是这样一句诗：打开笼子，让鸟飞走，把自由还给鸟笼。有一次他在电话中给我说："让她走吧，女人是男人世俗的肌体，离开了她们，男人或许就可以变得纯粹一些。"费边举例说，他至少可以不和陈维驰那号人打交道。我记得他还随口吟诵了莎士比亚在《亨利四世》中的名句：离开了女人，浑身都是痛快。听费边的口气，他似乎已经提前过上了那种纯粹而又痛快的生活。我正听费边在那里抒情，电话里突然响起了忙音。我估计是杜莉采购东西回来了，我想，费边放下电话，就会去向杜莉陈述他的恋恋不舍之情。几天之后，我问费边的时候，他说还真让我给猜准了。费边说，那是他那几天的必修课。说完这话，他又给我讲了一个小故事，说的是在一个与神学有关的聚会上，丹麦哲学家克尔凯郭尔咬着明斯特主教的耳朵说了一句话，这句话把一向不苟言笑的主教大人逗得乐不可支。

谎言是一门科学，
真理是一个悖论。

我没有主教大人聪明，所以，过了好一会儿，才像被人胳肢了一下似的，笑出声来。

就我所知，杜莉在短短的一年里，起码回来过三次。第一次是在一九九三年的九月底，她和靳先生一起回来参加陈维驰的婚礼。这个婚礼拖了很久，现在，那个女孩子的肚子已经鼓了起来，实在没法再拖了。婚礼定在国庆节那天举行。因此，杜莉是在节日的前一天晚上回到家中的。一进门，她就说她刚才往家里打电话，怎么也打不进来，“你是不是在和哪个女妖精调情啊？”费边没工夫和杜莉啰唆，提溜着就把她扔到了床上，三下五除二就把她剥了个精光。关于自己的这种表现，费边是这么解释的：遇事都得多长个心眼儿，我这种急猴似的模样，多半是做出来的，它是最好的辩护词——我要不守身如玉，怎么能憋成这个样子？

忙了一通之后，费边才慢条斯理地对电话的占线作出解释。他想，杜莉不会相信他的解释，但经验告诉他，解释还是要比不解释强。费边说这些天他确实常打电话，电话都是打给朋友们，让他们去医院看韩明的。他告诉杜莉，韩明被抹掉了职务，这本来没什么大不了的，但韩明却整天神思恍惚，过马路的时候，被一辆出租车撞了个半死，这几天刚醒过来，现在还在医院挺着呢。费边看杜莉被他的讲述吸引住了，就想，如果韩明不那么撞一下，他还真的无法把事情解释清楚呢。他摸摸杜莉的大腿，又说：“看把你吓的。不要担心，韩明能挺过来的，他顶多丢掉一条腿。”

他们约定，等陈维驰的婚礼一结束，就去医院看望韩明。建议是杜莉提出来的。她同时还提出了另外一个建议：“费边，我长时间不在家，远水解不了近渴，你要真是憋得慌的话，找个女人解解闷，我是不会责怪你的。”费边后来对我说，杜莉一撅屁股他就知道她要干什么，她的意思无非是："费边，你长时间不在我身边，我要是憋不住了，找个男人解解闷，你是不应该怪我的。"所以，杜莉刚说完，就遭到了费边的拒绝。费边拍拍自己已经有点发福的肚子，说："不行，杜莉，你的话在我这里是行不通的，我是不会胡来的。你再说这话，就是侮辱我。"

第二天，他们本来要一起去参加陈维驰的婚礼的，但临上车的时候，费边变卦了。他说他想在家里等杜莉回来，然后一起去医院。说这话的时候，费边还担心杜莉会觉得他扫她的兴，可杜莉听了这话并没什么反应，好像巴不得他不去似的。停了一会儿，杜莉说："我也不想多耽误你的时间，你就在家里写你的诗吧。"她这么一说，费边倒想去了。但话一出口，就覆水难收了，费边只好目送杜莉钻进出租车，并和她挥手告别。

费边临上车的时候之所以会变卦，是因为他突然想起了杜莉在电话中讲过一件事。杜莉到北京的第三周，有一天晚上给费边打电话，说有一个人对她讲："卡拉，我都想跟你结婚了。"杜莉说："这恐怕不行，咱们结婚了，阿姨怎么办，小弟弟怎么办？"费边问杜莉那个人是谁，杜莉说："这你就不要操心了，我不是已经巧妙地把这事处理了吗？"杜莉不说费边也知道，那个人就是靳以年。费边拉开车门的时候，这事在费边的脑子里一闪，使他突然萌发了一个念头，写上一篇关于婚姻的文章（不是诗，而是一篇短文）。和这个念头同时产生的，是这篇文章所要引用的题记。题记倒是和诗歌有关，那是蒙田谈维吉尔的诗学论文里的一句话：美好的婚姻是由视而不见的妻子和充耳不闻的丈夫组成的。这篇文章是给晚报写的。费边还没来得及给杜莉说他现在在晚报的副刊上开了一个叫《日常生活的诗意》的专栏，每星期写一篇，已经写了两三篇了。费边当初只是写着玩的，没想到读者的反应很强烈，许多人写信给责任编辑，说副刊的档次因为这几篇文章而提高了不少，那个责任编辑就劝费边再写。费边准备再写几篇能逗读者一乐的文章，赚一点儿钱，就鸟枪换炮，将他对晚报的最新体验真实地写出来。他已经想好了，他要对晚报作一点儿批判，批判眼下的晚报是市民趣味的集散地，是人们在挖耳屎、抠脚趾、剔牙时的伴奏曲，是用文字制成的易拉罐，其现象学特征用四个字就可以概括——用过即扔。如果说诗写的是人与真实的关系，那么晚报上的文章写的就是人与虚假的关系。费边要劝读者去读读古典的东西，比如可以去读莎士比亚和但丁，这是两尊神，前者为激情提供了广度，后者为激情提供了深度。深度也好，广度也罢，那都是以后的事，现在还是先把手头的这篇文章鼓捣出来吧。

跟往常一样，费边要先简略地讲述一个朋友的故事，然后再进行费边式的分析。他讲的故事很简单，也没什么新意，类似的故事可以把街上的垃圾桶填满。这不要紧，有点层次的读者要看的是诗人、哲学家对这种日常故事的分析。这一次，费边讲的故事大致是这样的：一个朋友的妻子到上海进修，在那里和一个男的搞上了，那个男的还提出了结婚的要求。这个朋友是一位诗人，得知自己戴了绿帽子之后，还比较冷静，说服自己不要拎刀东进，只是写了一封信（用文字说话是诗人的强项），将那对鸟男女臭骂了一通。所谓臭骂其实也臭不到哪里去，因为这个朋友毕竟是个歌颂过玫瑰的诗人。他只是说这对男女侮辱了人类圣洁的爱情，难以得到饶恕。（明眼的人大概已经看出了门道，这个故事其实是以费边自己和杜莉为模特儿再加上一些臆想凑出来的）在故事的结尾，费边写道："这个朋友把信寄出之后，给我打了一个电话。我放下电话，就开始写这篇短文。"

费边首先肯定那个诗人朋友没有拎刀东进是对的：我们宁可选择健全心智下的悲痛，也不要选择疯狂中的高兴。接着，他写道，那个朋友提到的那对鸟男女侮辱了人类圣洁的爱情的说法，恐怕不能完全站住脚。"就我所知，他的妻子在上海被车撞过一次，撞得虽然不是很要紧，但毕竟受了点儿伤。是那个男的在医院里陪她度过了一段艰难时日。"这个情节是费边临时想起来的，我想，他的灵感很可能是来自韩明事件。接下来，费边觉得应该让那个批发绿帽子的家伙也受点苦，就写道："设想一下，如果那个男同志也被撞了一下，而且差一点儿就被撞死了，两个人现在都待在医院里，拄着单拐互相串着门谈起了恋爱，你难道不觉得这一幕是很感人的吗？"在费边的这个故事中，那个抛售帽子的人比陈维驰小十来岁，和靳以年的年龄差不多，是个半大的老头，"在这之前，已经吃够了婚姻的苦头，但他还是想结婚"。作了这样一番虚构之后，费边写道："哎，我几乎要赞美这位半截入土的老同志了，因为对他来说，希望战胜了经验。”

写到这里，费边用尼采的话作了一个过渡，使文章出现了波折。

> 许多年前，一个叫尼采的哲学家，在一本叫作《超越于善恶之上》的书中说：“人们最担心的莫过于同居生活被婚姻糟蹋掉。”这位老同志看来并不担心这个。有这样四种可能：一，如前所述，他是希望战胜了经验；二，他提出结婚，只是要以此显示自己的诚意，可以设想，他以前也常来这一手，果真如此，那就是经验排除了希望；三，他昏了头，和那个女人一起昏了头，诚如萧伯纳所说，“置身于最强烈、最疯狂，又最不可靠、最短暂的激情漩涡中的人，往往指天发誓，他们要一直处于这种冲动、反常、令人衰竭的状态中，直到死把他们分开”；四，老家伙有一种自虐癖，他明白，只有年轻的活蹦乱跳的女人，才能够对自己无能的身体构成打击，这是一种真正的打击乐。

需要交代一下，这篇文章费边后来没有寄出去，大家就不要去晚报上找了（他给晚报的是另一篇谈袋装垃圾与市民文明的文章），这似乎更说明了这篇文章的私人性质。这篇文章的读者确实很少，我估计不会超过十个人。我并不是它的第一个读者，靳以年先生才是第一个。靳先生在这篇文章诞生的当天晚上，就有幸读到了。他在参加完陈先生的婚礼之后，和杜莉一起来到了她的家中。他们来的时候，费边的母亲和女儿还没有离去。见到女儿，杜莉有点迟疑，好像刚刚想起来自己还生过孩子似的。杜莉朝女儿弯下腰时，费礼一边怯生生地叫妈妈，一边往奶奶的身后躲。杜莉想抱女儿，费边没让她抱到，因为他抢先一步把女儿抱了起来，费边这时候一定想起了杜莉曾在电话中说过的那个小段子。既然杜莉向靳以年的老婆叫过阿姨，那费礼就该叫靳以年为爷爷了。“快叫爷爷，”费边指着靳以年对怀中的女儿说，“叫老爷爷。”女儿这次真争气，她没有躲闪，仰着小脸尖声地喊了一下：“老爷爷——”费边的手在女儿身上使了一下劲儿，女儿立即心领神会地又喊了一遍：“老——爷——爷。”

靳以年并没有像费边想象的那样尴尬，他掏出钥匙圈在孩子面前摇了摇，将上面的一只象征着长寿的镀金的小乌龟送给了费礼，并说要带她去北京看天安门。孩子不关心什么天安门、地安门，她关心的是巧克力豆和奶奶家里的鬈毛狗，所以她毫无反应。费边留意了一下杜莉，他发现杜莉没有什么异常。倒是费边本人有点尴尬。他一时不知道下面的节目该如何进行了，他甚至感到自己就像一个糖尿病人，吃盐不成，不吃盐也不成。

我想象这天晚上的谈话是妙趣横生的，我为自己没能亲自到场聆听而感到遗憾。事实上，我本来是有机会去的，因为费边写完那篇文章之后，曾给我打过一个电话，问我是否愿和他们夫妇一起去医院看韩明。我当时考虑到他们是小别重逢，夹在当中有点不尽人情，就把这等好事给推辞了，结果把遗憾留给了自己。

据费边说，他母亲走的时候，靳先生也说自己该走了。但靳先生没有走成，费边在极力挽留他，想让他看看那篇文章再走。当靳先生问费边最近有何大作的时候，费边立即跑进书房里把那篇东西拿了出来。“这不是诗，而是一篇小品文。”费边把文章呈上去时，先谦虚了一下。姓靳的一边看一边说：“好啊，小品文现在很吃香的，至少比严肃音乐吃香。”费边没有搭腔，他现在得数落一下杜莉，拿她出出气。他对杜莉说：“你怎么说话不算话啊，我在家等着你去看韩明，你怎么一走就杳如黄鹤？”杜莉没有作什么解释，只是说这次无法去医院了，因为她明天就得飞往北京，参加一个重要演出的排练。这时候，孩子吵着要去睡觉。费边感到奇怪，因为孩子平时哄都哄不睡的。费边曾对我说过，孩子不睡的时候，他从不强迫她睡，因为孩子的吃、喝、拉、撒、睡，都是不会掩饰的。正如瞎眼诗人荷马所说，婴儿的内脏就是他自身的法则。费边感到费礼现在因为杜莉的出现而违背了这一法则，这个责任当然应该由杜莉来负。他对杜莉说：“现在该你去给她洗澡了，该你去给她编童话故事了。”

杜莉去尽母亲责任的时候，费边对姓靳的说：“看完之后，一定多提宝贵意见。”

“已经看完了，”姓靳的说，“有些地方能给人很多启发，比如‘希望战胜了经验’这一句，就很有意思。”

“谢谢，不瞒您说，写完这句话，我也很得意。靳先生，我想顺便问你一个问题，你觉得杜莉在北京能混出个名堂吗?”费边没有对姓靳的说明，他所称的“名堂”并不单指出名，它牵扯到了轻与重的关系，和培根的“名堂”一说近似——所谓“名堂”指的是让轻的东西浮起来，让重的东西沉下去。费边想问姓靳的其实是这样一个问题——和别的轻的比起来，杜莉能浮过它们吗?

姓靳的许久没有说话。费边看到他的像暖瓶塞那样大的喉结在那里不停地蠕动着。这样的问题怎么就把他难住了呢?费边想，看来，他真是一个草包。费边正这样想着（其中甚至包含着同情），靳以年开口了:“杜莉已经做好了第一步，就是选了最好的老师。下面就看她自己的努力了。”

费边对靳以年的话很不满意。费边后来对我说，不满归不满，他还是可以理解靳以年的。他说，在任何时代，人类总要推举出一个伟人，如果没有伟人，那就虚构一个出来。如果实在虚构不出来，那也不要紧，那就把自己当成伟人算了。姓靳的玩的就是这套把戏。费边说，算下来，大多数人都概莫能外，因为这涉及无耻。

费边当时忍了忍没有这样讲。但他不能就此放过姓靳的，他总得讲点什么。他对姓靳的说:“你说得对。杜莉去北京之前，我就对她说，学音乐关键就在于选老师，一定要和名气最大的老师挂上钩。虽然大多数有名气的人都是草包，但这不要紧，只要你心里有数就行了。”

“你好像很懂我们这一行，”姓靳的幽默地说，“当年我就是这样对付陈维驰的。”

这家伙怎么刀枪不入啊！费边有点恼火了。照费边的说法，他后来还是逮住了一个机会，让姓靳的感到了一点儿不舒服。那是在谈话即将结束的时候发生的事情。靳以年说：“陈维驰安排的，能不周到吗？服务员不光发茶叶、牙具，还发避孕套。”就像落水者抓到了一块还没有被水浸透的海绵，费边敏锐地捕捉到了“避孕套”这个词。他对靳以年说：“是真的吗？不过避孕套发给的人不同，含义也就不同。”正起身要走的靳以年听费边这么一说，就又坐了下来。他显然想听听费边的高论。费边没有让他失望。费边说：“那东西发给小孩子，它就是一只气球。发给年轻人，它就是一种提醒，让他们多想想我们的基本国策。发给中年人，它就是一张奖状，类似于医院开的健康证明。要是发给老年朋友，那就是一种挖苦了。”

费边告诉我，他那么一说，姓靳的就坐不住了，还没等杜莉从卧室出来，就夹着皮包下楼了。

是的，有那么一段时间，费边的枪口确实时刻瞄着远在北京的靳以年。费边到处收集靳以年的资料，卖小报的地摊和校图书馆资料室，都留下了他的足迹。他把收集到的资料全都贴在一个缎面笔记本里，没过多久，那笔记本变厚了许多。北京的诗友们得知费边的需求，也都乐意帮忙，三天两头打电话给费边讲靳以年的那些乱七八糟的事。如果费边有兴趣的话，他已经可以写一部中篇《靳以年传》了。有一个深夜，早期的一位朦胧诗人（现在是为流行歌曲写作的词作家）打来一个电话，告诉费边靳以年生活中的一个细节，说的是靳以年热衷于和登门拜师的女歌手靠着钢琴做爱。靳以年让女歌手坐在琴键上，他在一边屈膝用力，在杂乱的琴音中，进入礼崩乐坏的境界。这个细节太传神了，费边连忙把它记到了那个笔记本上。就像一个收集到了许多弹片的士兵，费边莫名其妙地感到喜悦和充实。

一九九三年的十二月底，费边接到杜莉的一个电话。杜莉说她元旦无法回来了，因为她要随一个艺术团到老区慰问演出，这是个既可以展示自己的艺术风采，又可以表明自己和老区人民同心同德的机会，她不想放弃。她说她想好了，那些大腕歌手宁愿自己掏腰包也要去，他们可不是傻子。她还说她很想费礼，做梦都想，“如果你能抽出时间带着费礼来北京一趟，那就太好了，可以一解我的思念之苦”。放下电话，费边恨不得马上飞往北京。他想，这是一个考察杜莉的机会，可以看看她在那里到底干出了什么名堂。

费边瞎激动了两天，最终却没能成行。原因很简单，在这节骨眼儿上，费礼病了。费礼一点儿也不体谅费边的心情，先是高烧不退，接着又转成了肺炎。按说费边想走就可以走，因为费礼有奶奶和姑姑照看，可是不带费礼，去北京就是无名之师。杜莉在电话中说得够明白了——她想的是孩子。过了两天，费礼的高烧好不容易退掉了，可就在费边托人买卧铺票，准备北上的时候，又有一件事冒了出来，使得费边的计划彻底泡了汤。

费边得知那件事的时候，正在参加报社组织的一个小型讨论会。这种会费边本来没兴趣的，可由于这一天要讨论的是晚报副刊的专栏问题，那个做编辑的朋友就硬把费边给拽来了。在费边前面发言的，是社科院的一位历史学家（此人也在晚报上开过专栏）。费边急着赶回去收拾行李，所以他对那个历史学家的饶舌很恼火。那人一直在讲人与狗，讲人与狗做伴的历史不止五千年，起码有一万年，各种狗的祖先都是狼。费边硬着头皮听着，同时观察着各人的表情。他看到，有一个女人坐在对面的后排，在那里写着什么。女人写了一会儿，就像费边这样把脸侧过来侧过去，显得无所事事。费边觉得这个女人有点面熟，他绞尽脑汁想了一会儿，终于想起来了——她是他教过的学生，很爱在课堂上提问题，提问题的时候，习惯把头发往耳朵后面捋，即便头发一丝不乱，也要那样搞，好像不那样就无法正视他似的。费边的记性是可靠的，他想起她叫鲁姗姗，他甚至想起了她在三姐妹中排行老三。现在，鲁姗姗也发现了费边，准确地说是发现费边在看她。她现在不需要捋头发就可以正视费边了，而且还可以朝他微笑。费边也朝鲁姗姗微笑了一下，并继续打量她，寻思她的面貌有哪些变化。如果不是这个女人引起了他的兴趣，他恐怕就要打瞌睡了。后来，费边听到那位历史学家把话题从野狗扯到了野人，谈野人和文明人的区别。“让他这样啰唆下去，一上午的时间还不全报废了，我得来两句。”费边想。他站了起来，拍拍那位历史学家的肩膀，说："是有差别啊，而且是一目了然的差别。"费边这么说着就离开了座位，做出一副在上厕所之前顺便插句话的样子，说："野人生活在自身之内，文明人生活在自身之外，这就是差别。"等他装模作样到隔壁的卫生间转了一圈回来时，那个历史学家果然住口了。会议的组织者用感激的目光瞧着费边，并要求他上场。费边这天话不多，他重复了他以前的看法，将晚报副刊上的专栏文章定义为小品文，并指出这是一个小品文的时代，小品文必将大行其道，搞大部头（著作）的人没有理由瞧不起小品文。他说，庄先生说了，"泰山非大，秋毫非小"，万物并育，并无伤害之理。接着，费边从小品文说开去，谈到从大到小的转变是这个世界的话语方式的最明显的转变。他说，这其实是一个诗学问题。根据当天的发言记录，费边的那套话整理起来，大致如下：

> 一切都在发生从大到小的转变。哈贝马斯提出从大写真理到小写真理，罗蒂提出从大哲学到小哲学，新历史主义分子提出从大历史到小历史，福柯提出从大写的人到小写的人。大师们的看法并非妄下雌黄，而是他们对世界体认的结果。诗歌呢，是从大诗到小诗，连厕所都有从大到小的转变问题——火车站的厕所从大茅坑改成了坐便。垃圾也是，从垃圾堆到袋装垃圾。刚才的那位前辈谈了一会儿狗，其实这个问题在狗身上也存在，你们看，现在街上跑着多少猫一样

大的狗杂种啊。讨论会难道不是这样吗？也是，你们看，咱们现在开的就是小型讨论会，带有窃窃私语的味道，万人大会都是做样子的。顺便说一下，人们现在已经开始厌烦大老婆了，已经开始时兴搞小老婆了。

“小老婆”三个字是大家一起喊出来的，小会议厅里顿时出现了欢声笑语的局面。费边的学生鲁姗姗，也站了起来为老师精彩的发言鼓掌。费边注意到了这一点，脑子里立即闪过一个念头：她当个小老婆倒是挺合适的。大家都鼓动费边再讲一段，费边招招手，对大家说：“小品文大家梁实秋先生有一句话，我不敢忘记：上台发言就像女人穿裙子，越短越好。”他的话又引起了一阵笑声。

讲完话，费边没有立即离去。他想再待一会儿，和久违的鲁姗姗聊上几句。坐在费边身边的那个人，是个写报告文学的作家。作家向费边借火的时候对费边说：“我是听说你要来，才赶来的。”费边说：“我差点来不了。这个鸟会要是放在明天开，我就来不了啦，因为明天我可能去北京。”他们低声聊着，过了一会儿，那个作家突然问费边：“韩明是怎么搞的，怎么说死就死了？”费边盯着对方看了一会儿，揣摩他是不是要借攻击韩明和自己套近乎。后来费边搞明白了，韩明服用了大量的利眠宁，真的已经死了。

费边的一个说法看来是可靠的，因为费边没有必要在这个问题上说谎。费边说，在圣诞节的前一天，他去医院接女儿的时候，曾想过去骨科病房瞧一下已经皈依了基督的韩明。事实上，韩明出事之后，费边已经去医院看过他一次了，那一次是我陪费边去的，去时带的月饼就是我从家里拿的。那个时候，韩明还没有皈依基督，还喜欢气急败坏地向别人展示他那条剩下了半截的左腿。韩明见我们进来，先让我们看了看那条腿，然后就说费边来这里是黄鼠狼给鸡拜年。看在他丢了一条腿的分儿上，费边没有跟他计较。不但不计较，还屈尊当了一次狗。费边对韩明说："韩明，如果你被狗咬了一口，你总不至于倒过来再咬狗一口吧？"在费边屈尊当了狗之后，韩明的情绪有点平静了，韩明对费边说："费边，你说过'母鸡不撒尿，各有各的道'，你的道也不太宽了，你跟那个叉着腿走路，好像夹着个铃铛似的钟副市长到底是什么关系啊？"费边没吭声，只是笑笑。当韩明又要展示他那条废腿的时候，费边大概觉得应该鼓励一下韩明，就说："你一定要振作起来，太史公不是说过吗，西伯拘而演《周易》，孔子厄而著《春秋》，屈原放逐乃赋《离骚》，左丘失明厥有《国语》，你也应该有所作为啊。"韩明不理费边这个茬，像要赖似的，坚持要费边讲母鸡是用哪条道撒的尿。韩明说："你要是我的一个屁，我就把你放了，可你不是。"

费边讲了，这是我第一次也是最后一次听费边讲这件事，费边平时虽然话多，可谈及此事，他却是金口玉言。真该感谢韩明，要不然我是永远不可能知道这个故事的。费边说自己的父亲曾是个"右派"，但只是一个没有进入档案的"右派"，因为当时作记录的人忘记把他的名字写进去了。多年之后，别的“右派”都改正了，老费才发现自己无法改正。在生命的最后几年，老费一直在为“右派”帽子而奋斗，到后来，帽子没有争到手，人却累死了。费边说，当时作记录的那个人，就是现在叉着腿走路的钟子玉。“就这些，我不想讲，是因为这故事有点落套，没什么新意。”费边说。费边讲了这事，韩明还是没有放过他。韩明的嘴就像一把刀子（因为丢了一条腿，他好像就有了把嘴变成刀子的权利），说：“哎呀，费边，你这只鸡的下水道就是这样开出来的?”费边没吭声，又坐了一小会儿，我们就走了。

费边说他在得知韩明皈依了基督之后，曾想过送给韩明一本《圣经》，在接女儿出院的那一天，这种想法变得非常强烈，可他最后还是没有去。费边告诉我，仿佛有某种感应似的，就在他接女儿回来的当天晚上，他梦见了韩明，并在梦中和韩明交谈了一次。在梦中，韩明劝他也皈教，向他大谈耶稣和《福音书》。费边说：“我看过《福音书》，也看过《耶稣传》，耶稣跟你说的有点儿不一样。当我把他看成人的时候，他是尊贵的神。当我把他看成神的时候，他只是一个失败的人。”听费边这么一说，韩明连呼撒旦。费边对韩明说：“你喊阎王爷也没用，因为这跟他们没关系。天堂和地狱都已经超编，我们这些人只能在天堂和地狱的夹层中生活，就像夹肉面包当中的肉焰。”韩明在黑暗中笑了起来，不说话，光笑，笑得费边汗毛都竖了起来。费边说他从梦中惊醒的时候，浑身都是汗，湿得能拧出水来。他怎么也睡不着了，只好爬起来在床头柜里找利眠宁。很可能就在那个时候，韩明也正在找利眠宁呢。费边说他服用利眠宁是为了再度进入梦乡，而韩明却是为了去见上帝。

出于对友情的怀念，费边暂时把杜莉放到了一边，投入了韩明后事的处理。在忙碌中，他随手记下了他对韩明之死的看法，以便将来写一篇带有悼念性质的小品文。费边认为，对韩明来说，医院肯定不是一个空洞的地理概念，他一定在那里琢磨到了什么东西，但他并没有找到和现实打交道的方案。有一道鸿沟他无法逾越，但他还是企图越过。这倒好，当他飞到半道的时候，因为心力衰竭而掉到了沟底。费边的这个看法和别人提到的自杀说大致相同，虽然别人不像费边这样认真琢磨一个死人，然后再推导出一个结论。韩明的妻子黄帆坚决反对这种自杀说，她完全不顾自己大学讲师的形象，流着鼻涕又哭又喊地找到现在的系主任，要求在悼词中加进“为了文化教育事业鞠躬尽瘁”一类的字句，并追认韩明为优秀党员。系主任只好召集大家开会研究对策。会议结束之后，系主任用真理在握的口气对黄帆说：“别闹了，这样闹一点儿都不好，你得知道共产党员都是无神论者，而韩明信神的事却众所周知。”系主任没有料到黄帆非逼他拿出韩明信神的证据不可，黄帆说韩明有党员证，却没有信神的任何证件，连个游泳卡一类的纸卡都没有。系主任急了，说，韩明死的时候，枕边放着一本《圣经》，这不就是证据？这个系主任平时拍马屁、训人都很有一套，可遇到黄帆这样的女人，就蠢得不能再蠢了。

他话刚出口，黄帆的鼻涕就跑到了他身上。“哼，”黄帆说，“他还不是想给学生开一门选修课。”

黄帆的哭闹，使韩明的死变成了一场闹剧，这大概是韩明生前没有料到的。费边对我说，韩明要是真能像耶稣那样复活，看到这种景象，他一定会再度服药死去，并永久地放弃复活的权利。费边说，黄帆这样的女人太可怕了，只用几滴眼泪和几把鼻涕就把一个死亡的意义给抹掉了。

元旦这一天，韩明被运到火葬场火化了。在哀乐声中，费边溜出大厅，站在台阶上抽烟。他没有去瞻仰韩明化过妆的遗容。他觉得经黄帆这样一折腾，他看见韩明的时候，说不定会听到韩明在冥冥之中的怨诉。

追悼会开完之后，费边和同事们坐校巴回城。费边想，他见到杜莉，一定要给她交代一声，如果他哪天突然死了，就草草地烧了算了，千万不要让人给他致什么悼词。虽然人类的文化史就是用悼词连缀成的一篇长文，但它所用的肯定不是殡仪大厅里伴着哀乐所念的悼词，就像死人的真实面容和那个化过妆的遗容不是一回事一样。对死去的知识分子来说，美化往往就是丑化，亚里士多德和莱辛曾经论述过丑是怎么变成美的，他们一定没有想到，美照样可以变成丑。一路上，费边都在想这个问题，他认为这是具有中国特色的诗学问题，值得认真琢磨。他正这么想着，校巴在校门外的一个叫乐万家的饭店前面停住了。在饭店里，费边发现他刚好和一个似曾相识的年轻人围在同一张圆桌旁坐着。

他们还互相碰了几杯。那个人开口说话的时候，他那富有磁性的声音使费边想起来了，他就是那天自己在剧场里遇见的那个年轻人，他叫李辉，当时他手里举着一束花。

“忘了吧？我是李辉。”年轻人说，“在殡仪大厅里，我怎么没有看到你？”

“我的烟瘾上来了，躲在外面抽烟。”费边说。

“这里的饭菜真不错。”李辉说。

“是啊，系里每次死了人，我们都要来这里改善生活，这叫化悲痛为力量。”费边说。

餐厅里人太多了，许多教师还带来了小孩，吵闹得很厉害，费边和李辉没能很好地聊起来。他们又碰了一杯，约定吃饱喝足之后再接着聊。吃饭的当中，李辉出去过一次，出去的时间还很长，费边真担心他不再回来，使计划中的长聊落空。费边不由自主地站了起来，到楼下去找李辉。在楼梯口，他碰见了李辉。李辉说自己到收银台给一个朋友打了个电话。“那个朋友说起话来，有点啰哩啰唆的，劝我不要这样，不要那样，真是莫名其妙。”

“现在猫已经不逮耗子了，逮耗子的是喜欢管闲事的狗。”费边说。

“你说得对，”李辉说，“而且还是一只母狗。”

许多天之后，费边才知道，李辉说的那只母狗，指的不是别人，正是杜莉。那个时候，费边才明白，这个自称李辉的人，就是杜莉所说的那个已经死去的前任男友。现在，费边重新和李辉坐到了桌前，他们又端起了酒杯。别人都在开怀畅饮，他们也不能落后，费边又给李辉倒了一杯酒。倒酒的时候，费边凑近李辉问了一句："你说的那只母狗，一定很漂亮吧？"李辉一下子笑了起来，笑得那么厉害，杯里的酒都洒光了。

这一天，费边第一次把李辉带到了家中。李辉说他现在正搞着考古研究，经常在河南渑池一带逗留，研究那里的仰韶文化。他劝费边和他一起搞。费边说别人去搞他不反对，但他自己不愿把精力放在这上面。"一想到我们的四肢在五千年前的坟场里忙碌，而脑袋却维系在后现代的都市，我就觉得什么地方出了毛病。"

"你起码应该去那里看看，"李辉说，"那里的每一个土坷垃都是文化，连村民们床下放的尿壶，都是宝物，尿上一泡就跟五千年前的文化沟通了。"这么说着，李辉就把那只脏乎乎的牛仔包打开了，从里面拎出了一只彩陶壶。"这就是我们从他们的床底下拿出来的。只用一个室外电视天线，就换了这么一个宝贝。让人遗憾的是，它的一只耳朵掉了，大概是晚上撒尿的时候不小心把它给碰掉了。"

费边这时候想起自己还有一只彩陶壶。他走进书房把它拿了出来，也把它放到了地毯上。李辉被费边的这只完整的玩意儿吸引住了，他像抚摸圣器一样，小心地抚摸着它，吹着上面的那层灰尘。"你要是想要，我就送给你得了。"费边说。李辉没说要，也没说不要，他往壶里面吹了口气，然后把耳朵放在壶口，好像那样一来就能听出来壶是真是假。听了一会儿，李辉又像摇晃婴儿那样把壶轻轻地晃了几下。“它怎么会响啊?”李辉说。费边也听到了响声，他还以为那金属般的声音是从李辉身上发出来的呢。费边接过壶来往壶口里看了看，然后把壶翻了个底朝天。接着，他就看到了那些硬币和一张已经发黄了的纸条。

电话就是在这个时候响起来的。费边一边在膝盖上铺展那张卷起来的纸条，一边问对方是谁。“是我，”对方说，“连我的声音都听不出来了。”费边确实没有听出对方是杜莉，一来是杜莉的声音经常变化，二来是杜莉很少在这个时候打电话，她通常是在晚上打的。费边想到了鲁姗姗，但又不敢肯定，于是就模棱两可地说：“原来是你啊。”

“不是我还能是谁？有一天，你恐怕连你自己是谁都想不起来了。”

费边这才听出对方是杜莉。他问杜莉有什么事，杜莉说：“没有事就不能打电话了吗？你是不是在和别人雄辩?”费边说他正在写诗。说这话的时候，费边想起了叶芝的话：和别人争论，产生的是雄辩；和自己雄辩，产生的是诗。“房间里没有别人了吗?”杜莉问。费边说没有，可杜莉不相信，非要让另外的人来接电话。费边想，杜莉肯定是在怀疑房间里有女人，既然这样，那就让李辉来接电话，让杜莉讨个没趣吧。因此，杜莉一说完，费边就高声喊起了李辉。他捂着话筒对李辉说：“是我老婆打来的，你过来简单说几句，让她少操那份闲心。”这么说着，费边又朝李辉眨了眨眼睛。李辉说："这种事我最乐意干，你放心吧，我知道怎么对付她。"杜莉对李辉说了些什么，费边自然是不知道的。李辉说的话，费边也没能记住，留在他脑子里的只是李辉拿起话筒时的那副笑嘻嘻的样子。费边在李辉旁边站了一会儿，就走开了。在客厅里，他将那张纸条点燃了。灰烬像黑蝴蝶似的，在客厅里飘着。费边拿着吸尘器，等着把它们吸进尘仓。他听见了李辉的笑声。他不知道李辉在笑什么，后来他倒是问过李辉为什么那么开心，李辉说他自己也不知道，他只是觉得好玩。费边对李辉的话表示理解。他说他曾写过一首诗，里面有一句是这样的：苹果树不知道自己为什么要开花，就像猴子不知道猴脑怎么会被舀进醋碟。

这一天下午，在其余的时间里，李辉一直显得魂不守舍的。为了稳住李辉，费边放了李辉喜欢听的杜莉的录音磁带，情绪恍惚的李辉第一次对杜莉的歌声表示了不满。李辉说："这不像是卡拉的声音，这也不是美声。美声的意大利文是 Bel canto，意思是美的歌唱。美的歌唱应该是得到完全控制的、精巧的声音，而她却在号叫，把吃奶的力气都使出来了。"费边认为李辉说得很有道理，他说："你大概不知道，这都是她的那个老师教出来的，那个叫靳以年的家伙，使一批歌手都变成了号叫派，他引进了疯狂，而拒绝了理智的抒情。那个老家伙还狡辩说，观众和电视台的导演需要的就是这种声音。"

李辉离去的时候，天已经黑了。费边送李辉下楼，看到济水河边的小广场上正放焰火庆新年。李辉突然说了一句："韩明的魂要是真的在天上飘着的话，一定会被这焰火呛得无处藏身。"这个时候，费边才问李辉怎么会和韩明认识。李辉说他当然认识韩明，很久以前就认识了。"这么说吧，他烧成了灰，我也认识他。"李辉这么说的时候，韩明的骨灰大概还没有完全冷却。在这样的语境中，费边对李辉的美好印象又加深了，他觉得李辉真是机智、幽默、可爱。他当然不知道，李辉在狱中写给杜莉的信，都是由韩明转过去的。用韩明的老婆黄帆的话来说就是：韩明不光替李辉转信，而且还替李辉做爱。就我所知，韩明死后，黄帆一直在收集这方面的资料，为自己身体的忙乱寻求注解。

我最近一次见到费边，是在鲁姗姗的生日晚会上。我记得那天下着雪，到了中午，天地之间已是白乎乎的一片。从窗口望出去，可以看到路面上挤满了各种车辆。车辆开走的时候，油污和煤屑已经将路面染得污黑。午后，费边打来了电话，劝我出去走走，他说在雪天能感受到诗意和大自然的恩惠。他给了我一个地址，要我先去一步，他把手头的活忙完就到那里和我碰面。我问费边正忙什么，他说他正在写一封求爱信，写完之后，还得去一趟药店，他正拉肚子呢。我给费边开了句玩笑，说拉肚子是减肥的最佳途径。费边说他的看法和我不一样，每拉一次肚子，他都会感慨万千。"以前拉得多好啊，盘旋着上升，上面还有个小小的教堂的尖顶，有着内在的韵律和东方式的美感；现在呢，喷得到处都是，简直不成体统。"我问费边是不是在给鲁姗姗写求爱信，费边没说是也没说不是。不过，为了满足我的好奇心，他倒在电话中给我念了两段。如果我没有记错的话，其中有一段是这样的：小说家和符号学家艾柯的一段话，可以看成对现代爱情诗学的精妙论述，一个有教养的男人爱上了一个知识女性，他不可能对她说“我真的爱你”，因为他知道，同时他知道她也知道，芭芭拉·卡特兰已经写过这句话了。解决的办法并没有穷尽，他可以对她说：“像芭芭拉·卡特兰所说的那样，‘我真的爱你’。”亲爱的，如果你不知道卡特兰是谁，那你可以把“卡特兰”三个字换成莎士比亚、但丁、屈原、瓦雷里、胡适、马拉美。当然，你也完全可以把它换成费边。

面的向西郊的方向开去的时候，我的耳边一直回响着费边那激情洋溢的声音。面的在一个我很熟悉的路口停住了。我这才发现这里原来就是那废弃的兵工厂的所在地，现在它是中和晚报社的地皮，周围的那一小片农田，由一圈广告牌圈了起来，变成了一个小商品批发市场。我在门口等着费边（不得不等，因为站岗的门卫不允许我进去），直到我变成了一个雪人，也没有等着他。又来了几个人，他们和我一样，也是来参加聚会的。由他们领着，我进了那个大院，也就是在这个时候，我才知道我要参加的就是鲁姗姗的生日派对。

走进电视台演播厅里面的一个贵宾休息室，我看到了我以前的一位女友。她是跟她的丈夫一起来的。一看到她，我就想起了她小肚子上的那道像稻草一样细的疤痕。我想，她大概也对她的丈夫说过，那道疤痕是割阑尾留下来的。她正在和丈夫跳舞。越过丈夫的肩膀，她看到了我，并朝我眨了眨眼睛。我在那里和似曾相识的人喝茶聊天，交流着各种小道消息。鲁姗姗过来问我费边怎么还没有到，我说他大概正在路上。“他可别误了吃蛋糕啊。”鲁姗姗说。旁边一个朋友说：“耽误不了的，他要真赶不上，他那份由我来吃。”鲁姗姗笑了起来，她问大家是想喝干红还是干白。

贵宾休息室的旁边就是厨房，所以每样菜端上来的时候，都还是热气腾腾的。大家举着酒杯，祝贺鲁小姐生日愉快。喝酒的时候，音乐放小了，但我还是听到了卡拉的声音。那是一首通俗歌曲中的几句，它夹在《一九九七明星联唱大回旋》的带子里，大概还不到一分钟时间。我之所以能听出来，是因为那歌词我很熟悉，它是根据费边的一首短诗改的，那首诗原来就叫《声音》。我想我以前的那个女友大概也听出来了（费边曾向我们两个人念过这首诗），否则她不会无缘无故地突然讲起费边的故事。她讲，好多年前，她曾经在济水河边的小广场上听过费边的诗朗诵，费边朗诵的是马拉美的《焦虑》，听众给了他很多掌声和鲜花，后来才知道搞错了，因为那鲜花和掌声本来是要送给另外一个诗人的，而那个人不是别人，正是她现在的丈夫。

故事把每个人都逗乐了，大家都说待会儿要再听听费边怎么讲。有几个性子比较急的人，已经放下酒杯，跑到门口的台阶上去了。

国道

开　头

在这篇小说中，首先出场的不是人，而是一辆林肯牌轿车。有眼不识泰山，直到最近，我才把车和名对上号。三年前，在我举行婚礼的前一天，我首次听说有一种轿车就叫林肯。是我的一个朋友对我说的。他说，要是能借一辆林肯去把媳妇娶回来，该有多好啊！一来排场；二来可以闯红灯，不害怕堵车。林肯这个名字，让我联想到了历史上的那个总统——据说他娶的那个母老虎，常当着议员的面往他脸上喷菜汤。虽然我对林肯总统（一八〇九～一八六五）抱有好感，可我却不愿重复他的不幸。我对朋友说，算了，还是用单位里的中巴去娶吧。我的口气惹得那个朋友哈哈大笑。他说："你以为你是谁？林肯车在整个济州市也不过那么几辆，不是想借就能借到的，我不过是想开个玩笑。"

可我没想到，有一天我还是和林肯打上了交道，当然不是用它来娶媳妇的，而是要写一篇与它有关的小说——在下面这篇小说里出现的命案和一些乌七八糟的事都与它密切相关。事实上，要是没有这辆林肯，这篇小说该怎么开头，我都有点犯愁。

在传说中，那辆林肯是会飞行的。不过，它刚出场的时候，并没有飞行。当时，它从帝豪酒店出来，沿着繁华的中山路由东向西急速行驶。济水河边耸立的酒店广告牌上的时钟，点明这个时间是一九九六年十月十九日晚上九时许——那分针的弹跳，将使整个世界感受到震动。街灯照着那些斜着飘飞的悬铃木的果絮，正是济州市的秋天常见的景象。这一天是星期六，平时就比较拥挤的街道这会儿更加拥挤，车辆大都只能踽踽而行。但拥挤的街道对这辆林肯似乎并没有什么影响，这让一个绰号叫布丁的人感到吃惊。布丁（一九七一～　）是个名车迷，喜欢骑着那辆“风速-125”，跟踪那些名牌轿车。他喜欢闻那股汽油味儿，对他来说，同样的汽油味儿，从名牌轿车的屁股后面放出来，就变得非常好闻了。布丁车技很高，加上济州拥挤的街道更利于摩托的穿行，所以他总是能非常从容地从各个角度欣赏那些名牌轿车。这一天，布丁从立交桥上下来，在济水河畔盯上这辆林肯的时候，便奇怪地发现，尽管街道仍是拥挤不堪，可那辆林肯却能畅通无阻。刚过福寿街，他就被林肯甩了下来。他一口咬定林肯车上长有翅膀。布丁的妻子，那个外号叫作果冻（一九七三～　）的人，也在旁边帮腔。她说那辆“风速-125”是她的，在市区之内，任何车辆都跑不过风速。“那辆林肯要是没长翅膀，你让我干什么我就干什么，反正现在闲着也是闲着。”

当时福寿街确实出现了交通堵塞，济州市交通电台的录音资料表明，播音员当时曾三次提醒各位出租车司机最好绕道而行，其播出时间分别是晚上九点十七分、九点二十五分、九点五十二分。也就是说，福寿街和中山路的交叉口起码堵了三十五分钟。那辆林肯车在福寿街也有过一次停留。当然，只要粗略地推算一下，就会知道其停留时间不会超过五分钟。从福寿街口到济州市体育馆并不算近，林肯车开过去起码要用十分钟，而那桩命案出现的时间，现在已经可以咬定是在九点二十八分到九点三十二分之间。

命案现场是在济州市体育馆东侧二十米。体育馆门前的小广场上当时聚集着一百多名消息较为灵通的铁杆球迷，他们正在等着购买一个月之后要进行的一场中美足球友谊赛的球票。为了不让更多的球迷知道他们的目的，影响他们买到位置较好的球票，他们都故意作出无所事事的样子，三五成群地在广场四周散步，同时窃窃私语，为裁判可能偏向哪一方、球赛之前要出现什么吉祥物打着赌。他们当中有一个名叫蔡猛（一九六八～　）的球迷，每过几分钟就要跑到体育馆东侧的那个小售票口瞧瞧。蔡猛又一次走到售票口跟前的时候，发现那里还是没有什么动静。他等得心焦，就在旁边买了几串羊肉串吃了起来。他一边吃，一边骂自己没出息。蔡猛是个下岗职工，老婆刚跟别人跑掉。他唯一的爱好就是看球。为了满足自己这个奢侈的爱好，蔡猛主动担负起了替别人购买球票的重任。他风餐露宿给别人买个位置好的，然后再买一张最便宜、位置最差的，等着人家赏赐给他。这会儿，他捶着脑门儿骂了一阵，开始盘算这几串羊肉串吃下来，应该把别人的位置往后面挪上几排，才可以保证自己还能看上球赛。蔡猛一边走，一边盘算着，同时他的眼睛盯着路面发呆。就在这个时候，他看见了那辆车。

这个现场目击者不知道那是林肯。他在电视上见过黑豹的广告，觉得黑豹很帅，他认为那辆车就是黑豹。“真牛啊，黑豹。”他咕哝了一句。接着他就看到了在电影中才出现的那种惊险场面：黑豹咬着一个东西，把那东西高高地扔了起来，与此同时，黑豹也腾空而起。在蔡猛的描述中，这就像电视上的海狮舞绣球，在海狮把绣球抛出的那一瞬间，海狮自己也跃出了水面，在空中完成那套用嘴巴转动绣球的动作。可是，那辆车毕竟不是训练有素的海狮，它的动作不够利索，在腾空的时候，不但让那个东西从车顶掉了下来，而且捎带着另外一个东西（蔡猛这时发现那好像是一个人），把它带到了空中——蔡猛事后说，那辆车的第二个动作“有点像是老鹰抓小鸡”。蔡猛听到了人们的尖叫，但看傻了眼的他，一时间没能醒悟过来，还认为自己看到的是拍电影的场面。在人们的尖叫声中，蔡猛看到那辆车突然降到地面，然后又再次腾空，如此反复了几遍之后，它在人们的惊呼声中走掉了。

蔡猛的说法和别的目击者的说法大同小异。可以肯定，在林肯走了之后，体育馆东侧的人群曾经出现过短暂的平静，好像什么事也没有发生似的。蔡猛还站在那里发愣，突然又听到了一阵尖叫，类似于恶狼闯入羊群之后的叫声。蔡猛并没有立即围上去。悠悠万事，唯球为大，他还挂念着他的球票呢。他又走到售票口瞧了瞧，发现那里还是没什么动静，他才重新拐回来。

“我看到一个人从地上爬了起来，他捂着肚子喊着，走了几步，就又栽倒了。”蔡猛说，“他虽然站都站不起来，可他却能打滚。他躺在地上不停地打着滚，那样子就像被剁掉了脑袋的鸡在地上胡乱扑腾。”

蔡猛还看到了一只足球，那只足球在人们围成的那个小圈子里跳来跳去的。蔡猛终于发现那个人是想抓住那只足球。接着就有人看到了血。那血并不是从那个人身上流出来的，它像一条细细的红绸，延伸到了那个圈子之外。有一个妇女高声叫了起来，说跑掉的那个车下面还挂着一个人。她说得没错。正如人们后来所知道的，林肯车的下面确实挂着一个人，那个人就是这个名叫闵大钟（一九五七～一九九六）的人的儿子闵渊（一九八四～?）。当人们七手八脚把闵大钟抬到一辆面的上的时候，那个绰号叫作布丁的人终于赶了过来。他现在就沿着那道血迹往前跑着。他没有料到刚从一堆人中闯出来，就碰上了另一堆人。这时候，他听见有人说那个像红绸似的血道就来自林肯轿车。追了这么长时间，最后还是让它溜了，布丁不能不生气。他看着路上的那个血道儿，气呼呼地说：“我知道它怎么跑那么快了，它不光长有翅膀，而且油箱里还装着特制的油。”旁边的一个人拍拍布丁的肩膀，对他说：“老兄说得对，它的油箱里装的不是油，而是血。”说这话的是个出租汽车司机，把闵大钟送到急救中心的，就是他和他的几个朋友。

一〇七国道

布丁、蔡猛以及那个将闵大钟送到急救中心的出租车司机

(我后来知道他姓王),都没有看到十月十九号事件的最后一幕。他们只是这个事件的一个重要阶段的目击者和参与者。布丁为没能撵上那辆林肯一直耿耿于怀,因为对他来说,那是个少有的失败;蔡猛因为耽误了买票,而失去了别人的信任,他只能不停地责怪自己;至于那个王司机,据说他当天晚上倒是受到了妻子的表扬,可是随着事件的发展,妻子的表扬将逐渐变成臭骂。

当天晚上的最后一幕,发生在市区之外。准确的地点是在北环和一〇七国道交叉口的国道上面。当时大约有二十辆各种型号的车辆堵在那里,牢牢地将那辆林肯围了起来,正横在林肯前面的是济州市武警用的那种巡洋舰似的警车,开车的是武警范辛良。一个首长的亲戚要回北京,范辛良这会儿是刚从机场回来。离林肯还有一段路的时候,他就发现那辆迎面开来的车有点儿不对劲。他看到它的轮辐闪烁着耀眼的光线,像是电焊时发出的那种弧光,也像是节日放的那种溜着地皮发光的名叫地龙的焰火。就像布丁最初没有反应过来路上的红道道是小闵渊的血迹一样,范辛良这会儿也没能想到那些焰火似的光是挂在车底盘下面的自行车和地面摩擦的结果。当两辆车距离拉近的时候,他看见还有一长溜的车辆在那辆车后面跟着,看上去就像万马奔腾,好像这不是国道,而是一个赛马场的跑道。范辛良虽然受过严格的驾车训练,可见到这个阵势,他还是有点发怵。他赶快把车停到了路边。车刚停下,那辆林肯就擦着路那边的一根电线杆呼啸而过了。紧接着,从跟踪而来的一辆面的上跳下来了一个交警,他一跳上范辛良的车就喊着："快、快、快追！"

就是这个范辛良将林肯车的司机揪了出来。紧跟着范辛良从副驾驶的位置上跳下来的交警，上去就给了那个司机一个耳光。他刚打了第一下，就有许多条腿许多条胳膊伸了过来。那些刚围上来的司机都想借这个机会练练拳脚。"还他妈林肯呢，给我打。"没能挤过来扇上两巴掌的人，在圈子外面喊着。站在车门边的范辛良感到肩膀一重，原来是一个电警棒放到了他的肩头。"替哥们儿来一棒。"范辛良身后的那个人抖动着那个硬邦邦的东西对范辛良说。范辛良接过电警棒，还没有抬起手来，就听见坐他的车赶过来的那个交警"哎哟"了一声。

这个"哎哟"了一声的交警，名叫张红卫（一九六九～一九九七）。这会儿他手里正拿着那个挨了耳光的人递过来的驾驶证。在手电光的照耀下，范辛良和张红卫都清楚地看见了上面的字样：曹拓麻；济州市管庄区公安局；初次领证日期是一九八〇年。另一张工作证上的字样是：曹拓麻；济州市管庄区公安局；一级警督；四十六岁；填证日期是一九九四年十月二十五日。

张红卫之所以会"哎哟"一声，是因为他认识曹拓麻。张红卫以前曾在管庄区公安局下属的水荫路派出所干过。前年，他因为生擒一个携带炸药闯入幼儿园的亡命之徒，先后受到市里和局里的表彰。在局里召开的表彰大会上，将一万元奖金和见义勇为证书发到他手里的就是管庄区公安局局长曹拓麻。张红卫已经听说，因为成就突出，曹拓麻可能要到市里更显眼的一个区——济州市开发区，担任公安局局长。

就在张红卫再一次认真核对驾驶证、工作证，将上面的照片和眼前站立的那个曹拓麻反复对照的时候，范辛良突然想起刚才车里好像还坐着一个人。他拉开车门，喊着：“爬出来，给我爬出来。”连喊了两声，仍然没有动静。范辛良伸着脑袋往车里看了看，副驾驶的位置上现在空无一人。他感到纳闷，就拿着手电往里面照了照，他什么也没有看到，看到的只是落在座位当中的一撮白色的毛。范辛良正感到纳闷，手电筒突然被打落了，接着，他的手背就被什么利器猛抓了一下。在别的手电筒光的照射下，范辛良看到手背上立即冒出了几道血印子。对一个武警战士来说，轻伤不下火线的精神还是有的，范辛良索性一下子钻到了车上。在车里，他摸到了自己的手电筒，将整个车厢照了个遍。他什么也没有看到，只闻到一股首长的老婆常用的那种法国香水的味道。范辛良张着鼻子使劲地嗅着那味道的时候，林肯车突然剧烈地摇晃了起来。等跳出车的时候，范辛良才知道张红卫正指挥着人们，要把林肯车底朝上地翻过来。范辛良接着就看见，像从弹花机上摘棉花似的，人们从林肯车的底部先后摘下来一个人和一辆彻底扭曲变形的自行车。

如前所述，那个从车底盘上摘下来的人就是小闵渊。人们用手电光照着，粗略地检查了一下，发现他的一只手被磨秃了，右边的那只耳朵也被磨掉了。张红卫按着曹拓麻的脑袋，让他看从车上摘下的两个东西。曹拓麻一边低头，一边从口袋里掏烟。他刚把烟掏出来，还没有点上，就哇的一声呕吐了。吐出来的东西又腥又臭，旁边的人赶快往后退了几步。一个叫作马莲（一九六四～　）的女司机没有来得及后退，所以她的裤管上立即沾满了那些秽物。

啊，秽物。顺便说一下，千万别小看这又腥又臭的东西。从某种意义上说，它是整个案件中最宝贵的证据，可以说比金子都宝贵。因为它可以证明曹拓麻当天晚上都吃了些什么。通过对它的分析，人们可以确定曹拓麻当时的脑子是否正常，该承担什么样的法律责任。令人遗憾的是，那个名叫马莲的出租车司机当天晚上回到家就把裤子洗了。当时曹拓麻往一〇七国道上也吐了一堆，可当人们想起来这一点的时候，已经几天时间过去了，那泡东西即便没有被狗吃掉，也早已变成了灰尘。也就是说，这个后来震惊全国的案件，从一开始就欠缺一些法庭所认为的“重要的证据”。不过，话说回来，当时谁又会想到应该保存那些秽物呢？马莲后来向记者展示过她那条曾经沾染过秽物的裤子（一条洗得泛白的绿色灯芯绒裤子）。就在这条裤子见报的当天，马莲接到了一个电话。打电话的是个男的。那个男的用标准的男中音对马莲说：“学乖一点儿，把你那条沾着经血的裤子掖到柜子里，否则就让你车毁人亡。”马莲后来说，幸亏她把那条裤子洗了，要不她可能会比曹拓麻还要早一步去见阎王。

狗杂种

武警范辛良和另外两个不肯透露姓名的司机，都在林肯的副驾驶位置上拣到了一撮毛，那几撮毛后来在医科大学做了鉴定。鉴定结果表明，那不是人的毛发，而是狗毛。

之所以要做这样的鉴定，是因为有些司机认为，当他们在一〇七国道上堵住林肯的时候，林肯的副驾驶位置上还坐着另外一个东西。在人们急着收拾曹拓麻的时候，那个东西神不知鬼不觉地在夜色中溜掉了。那撮毛的鉴定结果一出来，法庭就果断地认为："现在已经基本上可以排除车上还有另外一个人的可能了。"在此之前，与此案有关的所有人和关心调查结果的公众，都把注意力放在那撮毛上面。那撮毛太重要了，如果它能够被证明是人毛，那么它的主人将是此案最直接的证人。他（她）将能够告诉我们，曹拓麻当时的脑子是否清醒，在事件发生之后，曹拓麻为什么要开车逃窜。不幸的是，那撮毛被鉴定成了狗毛。

其实，即便鉴定结果表明那撮毛是人毛，又能怎么样呢？我们总不能不让人脱毛吧？许多人都有脱毛的习惯，我也有。过了三十岁，我头上的毛就越来越少了（为了写这篇小说，我又掉了不少毛），后来干脆就秃顶了。每次出去参加社交活动，我妻子都要在我的脑袋上花一点儿功夫：用梳子把四周的头发往当中梳啊梳啊梳（梳的过程中，还会再掉一些毛），然后喷上定型摩丝，将头发固定住（我妻子称这种往头顶梳的动作为农村包围城市，地方支援中央）。如果谁在那辆林肯车上发现了我的毛发，那是否就能够说明，在十月十九日那天晚上，我一定就坐在曹拓麻身边？我认为不能下这种断语，也不敢虚构这样的情节。在我看来，这样的情节只能出现在充满道德训诫和因果关系的古典小说里面。

第一个介入此事的记者是《济州晚报》的孟庆云（一九六四～一九九七）。对她我不妨说得稍微详细一点儿。孟庆云在报社上班还不到两个月——我最近才知道她的户口和档案都还留在武汉。她和丈夫原来都在高校任教，她在湖北，丈夫在济州，两个人怎么也调不到一块儿。后来孟庆云只好做点儿牺牲，来济州重新找工作。碰巧《济州晚报》在招聘记者，她考上了。十月十九日那天，孟庆云的丈夫去广西桂林开会了，孟庆云向同事提出，她可以值个夜班，在办公室接听群众来电。电话记录表明，这一天，打来的电话并不算多。大多数时间，孟庆云都在写信（由于夫妻长期分居，她养成了写信的习惯）。但这一天，她的信并不是给丈夫写的，而是给她肚子里的胎儿写的。孟庆云相信两个月大的胎儿已经能听见她的声音了，因此她一边写，一边朗诵。

我手头有孟庆云那天写的信，其中有这样一段："你本该早一点儿来到世上，和我们共享人世的欢乐，可我们却一次次地推迟你降临的日期，使你没能看到一直关心着你的爷爷和奶奶。我和你爸爸在爷爷奶奶灵前发过誓，一定要把你培养成为一个健康、快乐、有用的人。”写到这里的时候，电话响了。打电话的那个人结结巴巴地说不出一个完整的句子。孟庆云凭直觉知道出了大事，她让那个人慢点说，可那个人还是说不好。孟庆云想，这个人大概真是个结巴。小时候，她就听父母说过，如果一个结巴着急得说不出话，可以让他把他要说的话唱出来。孟庆云想对那个人说："别急，你唱吧，我听着呢。"可话到嘴边，她又把它咽了回去。那个人停了一会儿，颠三倒四地说出了这样一句话："出了车祸，中山路，车跑了，人死了，还有人要死。我是丁宁。"孟庆云一下子笑了出来，站起来的时候，差点把桌上的墨水瓶打翻。丁宁（一九七一～　）是孟庆云丈夫的同事，曾托孟庆云给自己介绍女朋友。孟庆云笑过之后，没敢怠慢，立即下楼找车。她在楼前刚好碰见了两个巡警。十五分钟之内，她就赶到了中山路上的事故现场。她在那里只停留了十来分钟，就坐车赶到了急救中心。闵大钟还在抢救，但是医生告诉孟庆云，在呼吸器的作用下，他的心跳次数仍在迅速减少。也就是说，躺在手术台上的闵大钟其实已经死了。

运着小闵渊的警车又开了进来。孟庆云想跟进去看看，可她身边的铁栅门突然"哗啦"一声闭紧了。紧接着，孟庆云就被人推到了铁栅门跟前。她刚把记者证掏出来，记者证就被身后的一个人没收了。铁栅门被拉开了一道缝，孟庆云被人揪着头发从门缝里塞了出去。过了片刻，当感到头皮由麻变疼的时候，孟庆云看到"一只蝙蝠穿过铁栅门上的菱形格子，突然落到了面前"，

“一动不动的，好像是死透了”。孟庆云吃惊地看着“蝙蝠”，这才发现它并不是蝙蝠，而是她的记者证——让我们注意一下这个细节，这个误将记者证看成一只蝙蝠的细节，它以后还将会被人反复提起。

被揪出来之后，孟庆云想坐车再到现场看看。她上了一辆面的，让司机把她拉到中山路。坏事总是比好事传得快，那个面的司机已经通过对讲机从同行那里知道了那个恐怖的车祸。他对孟庆云说：“车是林肯车，最后是在一〇七国道上拦住的。”就在这个时候，车上的对讲机又响了，司机的同行说肇事者已经被带到了黑海。孟庆云问司机黑海在哪儿，司机说：“黑海就是明海路，公安局的交通事故处理中心就在那个鬼地方，司机们都叫它黑海。”接着，司机又咕哝了一句，说：“那是个狗×衙门，易进难出。”

其实，事故中心（公安局交通事故处理中心的简称）并不像那个司机说的那样可怕，警方对孟庆云还是比较有礼貌的。警方看了孟庆云的记者证，就把孟庆云带到事故中心后面的小院里。孟庆云一进去，就听到了狗叫。接着，她就看到一群狗蹲在树影里朝她叫唤着。还有几只小狗跑到她跟前，堵着她，闻了闻她的裤角。有一只狗还趁机跷起后腿，朝孟庆云的腿射了一泡尿，孟庆云感到了狗尿的温暖，有点哭笑不得。那个警察笑了笑，把那几只狗轰跑了。在后面的一间平房里，警察问孟庆云抽不抽烟，然后给她接了一杯“中美纯水”。这个时候，孟庆云感觉到自己的脚脖子有点凉飕飕的。当那个文质彬彬的警察去接电话的时候，她站到窗边，又朝外面看了看狗。那泡尿来自哪一只，孟庆云现在分辨不出来。因为那几只小狗一模一样，比猫大不了多少。这是晚上，虽然外面灯光很亮，可孟庆云还是分辨不出那几只小狗的颜色。那个警察接完电话，要求再看一下记者证，孟庆云只好再次把证件递给他，同时用半开玩笑的口气说："你们也真是辛苦啊，深更半夜还在为人民服务，真该找个诗人来歌颂歌颂你们。"

"我们历来如此。你的证件怎么这么脏啊？"那个警察说。

"刚才，它差点变成一只蝙蝠。"

"蝙蝠？"

"蝙蝠。"话一出口，孟庆云就感到有点不得要领，可既然已经说了，就不妨说得再详细一点儿。她告诉那个警察，她刚才在急救中心，像轰苍蝇一样叫人给轰了出来。这么说着，孟庆云又感到应该切入正经的话题了，就将蝙蝠和苍蝇问题放到了一边。她说："别的就不说了，我以后再详细给你讲。喂，朋友，那个肇事者到底是谁啊，我真想见见他。"

"不知道，我们也不知道。我们正在调查。你可以把电话留下，我及时通知你。"

"他开的是林肯，一定是个大人物吧？"

"也可能是个小人物。不过，我确实无可奉告。"

"他现在在哪儿，我能不能隔着玻璃看一下？"

“正在接受调查。你看，我一不小心就又说多了，我真该抡自己一巴掌。”

“到底是什么人啊，那么神秘？”

“你要是想写点什么，就写我们通宵达旦为人民服务算了。”

“那里面总不会是一条狗吧？”

“这很难说，”那个警察笑了笑，“我现在既不能证明里面是狗，也不能证明里面不是狗。”

说到这里，电话又响了。

“你要不要再喝一杯水，不喝的话，你就可以走了。”那个警察说。

孟庆云后来才知道，当她赶到事故中心的时候，曹拓麻已经由公安局政治处保释出来，让他妻子接回家了。曹拓麻来的时候，坐的是巡警的车；回去的时候，坐的是他自己的桑塔纳。

这天晚上，孟庆云一回到报社，就开始写她的目击者手记。在文章中，她倒是提到了狗，不过她提到的是那只往她的腿上撒尿的狗。

关于材料的一点说明

这部小说的材料实在太多了，多得让人感到苦恼。“删繁就简三秋树，领异标新二月花”——我的脸皮要是厚一点，我就可以说郑板桥的这个条幅，就是我的艺术追求。因为材料过剩，现在一切都谈不上了。

为了写这篇小说，我事先做了详细的调查，通过我不能说得太明白的私人关系看到了一些卷宗，其中自然包括现在还不能公开的预审档案。这跟我平时写小说的习惯是相违背的。我个人认为写小说就是捕风捉影，可以把绣花针写成棒槌，也可以把棒槌写成绣花针。我曾给一个批评家谈过这话，他不同意我的“棒槌论”。他说：“还是那句话，要多深入生活。”他还说，在生活的海洋里，珍禽异兽多得很，数都数不过来。我对批评家的话一直将信将疑，但通过这次调查，我服了。

我曾经想过删掉一些人和事，回到“三秋树”的境界，但是行不通。原因很简单，我总得把问题交代清楚吧。再说了，既然一只小小的骨灰盒就足以容下一个人的生平，那么在一篇小说里多塞一些材料又有何妨？我想起了小时候看过的蜂房（我的祖父养过好几箱意大利蜜蜂），那密密麻麻的蜂房，确实让人头皮发紧。可是你得承认，正是由于有了那么多的蜂房，才保证了我们可以吃到足够的蜂蜜。当然，如果哪个朋友认为这都是我找到的借口，我也不会提出反驳。诗人哲学家费边（一九六一～　）曾经说过：历史就是由借口组成的，“借口”这个词放到诗歌里面，你甚至很难找到另外的词来和它押韵，但它却构成了历史诗学。

人民医院

曹拓麻曾出访过日本，那是在一九九〇年。他喜欢樱花就是从那个时候开始的。现在，管庄区公安局大院的花圃里就有好几株樱花。那些白色或粉红色的伞状花，总让曹拓麻回忆起那次美好而有趣的日本之行。后来，曹拓麻被关到号子里的时候，他的一个部下曾送给他一枝樱花。那樱花还没有盛开，但一看到那钟形的花萼，曹拓麻的眼睛就湿透了。

在那次日本之行中，当代表团乘车去奈良的时候，团员们在车上互相给对方起着日本名字。其中一个团员，因为老是开玩笑说想和日本艺伎共度良宵，就被曹拓麻命名为“路边一色郎”。曹拓麻脸比较黑，人长得也很壮实，对方就叫他“黑山一雄”。曹拓麻曾向妻子提到过这两个有趣的名字。但他万万没有料到，在当上了公安局局长，有过几次艳遇之后，“路边一色郎”这顶帽子竟然戴到了他自己头上，而且首先给他戴上这顶帽子的，是他的第三任妻子孙惠芬（一九六二～　）女士。

孙惠芬叫曹拓麻“路边一色郎”（或“路边”）的时候，态度总是那么含混暧昧，既像是生气，又像是取笑，还像是撒娇。顺便说一下，曹拓麻还算是一个比较古典的人，他离了两次婚，又结了第三次婚就是个证明：虽然隔着篱笆就可以挤到鲜奶，但他还是想养一头奶牛放在家里。

这一天（十月十九日）晚上，孙惠芬用桑塔纳接曹拓麻回家的时候，她还不知道事情的严重性。进了门，她把拖鞋扔给曹拓麻，让他换鞋，同时叫了他一声“路边”。见曹拓麻既不换鞋也不吭声，只是站在那里发愣，孙惠芬就说：“路边，事情不是已经过去了嘛。”这么说着，她就弯下腰替曹拓麻解起了鞋带。孙惠芬刚摸到鞋带上的活扣，曹拓麻就一脚把她踹倒了。垂手站在一边的保姆见到这个情形，就赶快上楼了。孙惠芬搂着一只鞋在地上坐了片刻，然后又像日本妇女那样爬了过来，要解另一根鞋带。

“我得去医院里住两天。”曹拓麻突然说。

济州市最有名的医院就是济州人民医院，这家医院的院长甘洌（一九五九～　）博士是济州市许多重要（或者说关键）人物的医疗保健顾问，自然也是曹拓麻的“朋友”。十月二十日早上六点多钟，天还没有亮透，甘洌博士就驱车来到了曹拓麻的寓所前。在甘洌博士和曹拓麻说话的时候，孙惠芬把录音机打开了。当然不是要录音，而是要放出一点儿噪音，以防别人监听——在这方面，孙惠芬和曹拓麻都是行家。

明人不说暗话，甘洌博士上来就说：“曹局长，需要我做什么就尽管说吧。”曹拓麻笑了，他问甘洌：“博士，你听到什么风声了？”甘洌说他接到电话就赶来了，不知道发生了什么。

上了车，曹拓麻简单地把昨天晚上发生的事给甘洌博士讲了一下。甘洌听完之后，握了握曹拓麻的手，说：“曹局长，你放心好了，你说的我一句也没听见。说吧，这次您想住哪个套间？”出乎甘洌的预料，曹拓麻说他这次不想住高干病房了，只要是单间就行。

曹拓麻确实没住高干病房。之所以要强调这一点，是因为有些新闻报道在这里犯了低级错误，说曹拓麻是在高干病房被逮捕的。我后来多次到过这家医院，甘洌博士还特意领我到曹拓麻住过的那个房间看了看。它位于住院部大楼二楼的电梯井旁边，房间里有三个床位，我去的时候，里面住着一个偏瘫的民工，一个患了脑溢血的教师。靠墙的一个床位暂时空着，那就是曹拓麻当时的床位。甘洌博士很坦诚地说：“当然，当时这房间里没住别的人。”曹拓麻的一个在商场工作的朋友在这里放了一台彩电，花店的人往这里送过几次鲜花，“除此之外，就和现在没什么两样”。

顺便交代一下，小闵渊后来也住进了这家医院。十月二十日，孟庆云的那篇文章见报之后，甘洌博士就驱车来到了急救中心。和早上不同的是，他这次开的不是自己的桑塔纳，而是医院的急救车。正像后来在电视新闻里播放的那样，车上各种急救设施非常齐全，来的也不光是甘洌一个人，而是一个救护小组。甘洌心真细，在来之前，他已经吩咐副院长要腾出一个高干病房，预备着接待小闵渊。副院长发愁了，说高干病房已经人满为患，无法再安排新的套房。甘洌没有搭理他，转而又交代另一个副院长，要选几个模样俊俏脾气又好的护士，放在那里预备着。

因为急救中心不愿放人，所以救护小组来接闵渊的时候还费了一点小小的周折。甘洌博士找到急救中心的主任，对他说："你要是能找到不让孩子享受更好的医疗条件的理由，我现在一拍屁股就走。"见急救中心的主任还是不松口，甘洌就盘腿坐在主任的办公桌上，用自己的手机给济州市的市长打了一个电话。十几分钟之后，一直昏迷不醒的闵渊就被拉到了人民医院。两个副院长领着几个漂亮的护士在高干病房的门口迎接，并领着救护车一直开到一个小院子的深处。那是个幽静的小院子，里面还有一个小小的花圃。在深夜，金菊和月季正在吐放着它们的幽香。这里没有樱花，樱花是在隔壁的那个小院子里，那是曹拓麻上次住院的时候，医院从市植物园移植过来的。

曹拓麻在人民医院一共住了三天。这三天，并没有人来这里为案件进行必要的调查。十月二十二号下午三时五分，警方来到了住院部二楼，向曹拓麻宣读了逮捕令。曹拓麻拿出了甘洌医生给他开的"病危通知"，表示自己暂时无法出院，并提请他们考虑一下人道主义问题。这个小小的问题把宣读逮捕令的小伙子难住了。另一个小伙子很机灵，他说可以让甘洌博士"再来（给曹拓麻）做一次检查"。几分钟之后，甘洌博士就来了。他没有自己动手，只是让手下人给曹拓麻量了量血压，翻开眼皮看了看。曹拓麻要求再做一次脑电图，并检查一下血脂的浓度，甘洌博士表示他可以到看守所去给曹拓麻做检查。"别担心，那里也有必要的仪器。"

警方要给曹拓麻戴手铐的时候，甘洌博士要求再看一下那个“病危通知”。曹拓麻把那个通知掏出来递给了他。甘洌拿着通知看了看，说：“你现在已经脱离危险期了，要这个已经没什么用处了。”说着，他掏出打火机，将通知轻轻点燃了。

费边提供的内幕

“任何事物都像椭圆形的鸡蛋，有两个焦点。”这话还是费边说的。我又一次引用了费边先生的语录。不知道是否已经让大家感到了厌烦。正如我的另一篇小说写到的，费边是我们当中最出色的诗人哲学家。他能对日常生活中发生的任何事情及时地作出判断和分析。这个案件发生之后，费边立即中断了他在北京的游学，赶了回来。一回到济州，他就像一个私家侦探似的，经常夜不归宿，忙着与相关的人拉关系，收集材料。当然，和费边采访过并记录下的许多证人一样，费边是不愿公布他的调查结果的——既不愿把文章写出来发表于报端，也不愿在关键的时候出庭作证。他只是愿意私下和朋友们聊起此事。“任何事物……”这句话，就是费边在一次私下的交谈中随口溜出来的。我当时真想问问他，要是遇到个双黄蛋，那该怎么办？

就是在那次交谈中，费边忍不住向我透露了一点儿内幕，说“曹拓麻住院期间可没有闲着”，“他忙得很哪”。

什么鸟内幕啊！这事谁不知道？这个哲学家是怎么搞的，把众所周知的事实当作宝贝蛋一样捂着，就不怕人笑话？

不过，话说回来，费边提供的那些细节还是很可贵的。大家虽然知道大概，可是知道得并不详细。没有必要的细节，大概的真实性就值得怀疑。流亡作家纳博科夫（一八九九～一九七七）说得好，细节就是上帝。

如上所述，甘洌博士很够哥们儿，先给曹拓麻办了住院手续，然后又根据他的要求，给他办理了“病危通知”。拿到“病危通知”，曹拓麻就对甘洌说：“博士，你看我已经病危了，不能轻易活动了，帮人帮到底，请给我的一个朋友发一个传真。”甘洌问发什么传真，曹拓麻指着“病危通知”说，就发这个。当甘洌为了抄写传真号出去找笔的时候，曹拓麻改变了主意——那个传真号可不能随便给人看。因此，甘洌最后拿到的是一个错号。当他拐回来对曹拓麻说传真发不出去的时候，曹拓麻说：“没办法，连记忆都出了毛病，看来我真的病危了。”甘洌照例又安慰了一通曹拓麻。曹拓麻说：“这样吧，你想办法去把我儿子找过来，对他说我已经病危了，让他来看我一眼。”

正如费边所说，尽管这个案件中有许多疑点，但有一点是很清楚的，曹拓麻在住院期间和外界的联系大都是通过他的儿子曹淇进行的。俗话说得好，“打虎亲兄弟，上阵父子兵”，在最关键的时候，曹拓麻先想到的还是他那个不争气的儿子。

曹淇是在十月二十日晚上九点多被甘洌拉到人民医院的。这一天，甘洌也真是忙得够呛。把小闵渊弄到手的时间是晚上八点半，将小闵渊安排下之后，甘洌博士立即根据手下人提供的线索，马不停蹄地奔赴康佳俱乐部。他没有亲自去康佳的地下室，而是让手下人用一条麻袋（其实是一条装尿素的塑料编织袋）把曹淇弄了出来。因为吸毒过量，曹淇那时候已经进入了仙境，觉得钻在麻袋里非常舒服。到了车上，当别人要把他从麻袋里取出来的时候，他气坏了，打着滚，高声骂着："妈了个×，就让我套着呗。"从麻袋里出来之后，曹淇想亲自开车，这让甘洌感到很为难。对待这样的公子哥儿，甘洌和别人一样，历来黔驴技穷。这次因为时间紧迫，甘洌没有再去费口舌，他使了一下眼色，手下人立刻像逮鳖一样，使曹淇肚皮朝上，然后把曹淇给捆住了。

到了医院，甘洌急着去看望那些前来慰问小闵渊的领导，就把曹淇丢给了曹拓麻。曹拓麻一看见儿子，就说："我的小祖宗哎，你终于来了。"可是，不管他怎么叫，他的小祖宗就是不吭声。曹拓麻急了，让孙惠芬把"病危通知"递给曹淇。当曹淇说"你怎么动不动就来这一套"的时候，曹拓麻的泪流了下来。

曹淇就是从这一天开始变乖的。以此看来，曹淇并不像他的朋友们所说，是个彻底的虚无主义者。对曹淇来说，他的虚无主义有一个重要前提，即老爹手中一定得握有实权，否则，即便让他当虚无主义的大师，他也不干。当曹拓麻把事情的经过大致讲了一下之后，曹淇立即从虚无主义退化到了实用主义和感伤主义。他也哭了起来。

“哭什么哭？”曹拓麻对儿子说，“我还没死呢。去，把传真发出去。”

因为是让儿子发的传真，所以曹拓麻这一天发出去的并不仅仅是“病危通知”。曹淇的脑袋瓜还是比较灵的，他对曹拓麻说：“是不是在这张纸上再写几句话，如果在原件上写不方便，那就先复印一下再写。”曹拓麻批准了这一请求。过了一会儿，当曹拓麻字斟句酌地在“病危通知”的复印件上写下几句话的时候，曹淇却找不着了。曹拓麻让孙惠芬去找，孙惠芬在外面找了一圈儿，回来对曹拓麻说：“他还在厕所里站着呢。”又等了好一会儿，见儿子还不出来，曹拓麻急了，只好去厕所里叫儿子。在厕所里，曹拓麻看见曹淇蹲在坐便器上一边战栗一边哭泣。可怜天下父母心，一看那个阵势，曹拓麻就知道儿子的生殖器又出问题了。

“老爸，我尿不出来。”

“别急，慢慢尿。”

“我不是在尿尿，而是在尿玻璃碴。”

就在曹淇尿玻璃碴的时候，曹拓麻又拐回去把刚写下的话改了一下。改过之后，那段话就成了两个选择题。与一般的选择题不同的是，里面的句子都没有主语：

出面还是不出面？（　　）

让说还是不让说？（　　）

曹淇夹着腿跑到街上拦了一辆车，把传真发了出去。这天晚上十一点，曹淇把收到的传真呈现到了父亲面前。前后两个传真的风格非常相似，不过，收到的传真并不是选择题，而像是来自“克里特岛”的悖论：

别忘了，任何时候我都是对的。

如果错了，请看上面的那一句。

上小学的时候，我学过一篇课文，里面有一句话我一直记着，叫“吃水不忘挖井人，幸福感谢毛主席”。我的意思是，我得好好感谢给我提供了“选择题”和“悖论”两个细节的费边先生。费边说他在研究中国式的虚无主义问题的时候，曾和曹淇交过朋友。他的话似乎表明，他所说的这两个细节都来自曹淇。不过，当我这样问费边的时候，他立即闪烁其词，顾左右而言他了：“喂，北京有一帮人正在研究什么中华性和后殖民主义，你到底是怎么看的？别像个闷葫芦似的，你总得表个态啊。”

检测报告

我前面提到过来自曹拓麻体内的秽物——它曾经喷到出租汽车司机马莲身上，也曾经喷到一〇七国道上面。女人嘛，多少都有些洁癖，马莲虽然很忙，但她当天晚上还是把那条灯芯绒裤子给洗了。至于留在一〇七国道上的那摊东西，即便它没有被狗吃掉，也早已变成了灰尘——没有比灰尘更灰、比灰尘更难以捉摸的东西了。我也提到，千万不能小看那秽物，从某种意义上说，它比金子都宝贵，因为它可以证明曹拓麻当天晚上都吃了什么东西。通过对它的分析，可以说明曹拓麻在闯祸的时候，脑子是否正常。

科学早已发展到了这样的地步，即通过对恐龙化石，对马王堆里的木乃伊，对来自外星的小石片，对莎乐美留在尘世的一根毛发的分析，就可以探究恐龙灭绝的原因，可以获取一具女尸生前的病灶，可以推导出某个星球为什么没有发展起生命，也可以提出莎乐美为什么那么喜欢心上人的脑壳等重要的学术依据。

但是，离眼睛最近的事物，我们往往是看不清楚的。比如科学无法研究人的粪便、尿液与人在某一时刻的精神状况的关系。如果科学家们肯在这方面多下点功夫，闹点成绩出来，那事情就好办多了。譬如，我们通过检查曹拓麻的粪便和尿液，就可以知道他在什么时候脑子不够用、精神不济，从而为最后的判决提供必要的依据。也就是说，我们只要把盛粪便的盘子和装尿液的杯子往法庭上一端，事情就解决了。

当然，即便科学家们在“粪便/精神”研究方面结出了硕果，事情也可能并不像我想象的那么简单。我的意思是说，即便通过检查尿液和粪便能够摸清一个人（比如曹拓麻）在某一时刻的精神状况，那个盛着宝贝的盘子和杯子也不一定就能在庄严的法庭露面。这里有一个现成的例子：十月十九日晚上，当一帮人将曹拓麻扭送到事故中心的时候，曹拓麻说他的车之所以“出了问题”，是因为他“喝（酒）多了”，脑子不清楚。曹拓麻的脑子是否清楚，只要做一个简单的酒精含量测试就可以了。事故中心不仅有卡拉 OK 话筒似的微型测试器，还有进口的酒精含量检测仪——这都是已经量化了的科学。正如我们现在已经知道的，事故中心并没有向法庭提供出一个基本的数据。曹拓麻在事故中心待了十几分钟之后，公安局政治处的负责人就把他保释出去了。

事故中心为什么没能提供出一个检测报告，一直是记者们感兴趣的问题。这个问题太重要了，如果有足够的证词（检测报告无疑是重要的证词之一）能够证明曹拓麻确实喝醉了，那么曹拓麻开车撞死闵大钟，将小闵渊拖到一〇七国道，只能算是一次交通事故（尽管它是如此恶劣）；而如果曹拓麻没有喝醉，那么他就犯下了杀头之罪。

事实上，曹拓麻开车的时候脑子是否清醒，是否已经醉成了一个傻瓜蛋——控辩双方一直就此唇枪舌剑，双方都咬住不放，谁都不愿松口。

我在前面提到了这部小说的一些技术性问题，比如它的材料来源等。是啊，这毕竟只是一部小说。我想，我可以在此提到人们对那个“检测报告”的一些猜测。

至少有两种猜测一直在民间流传，经久不息。一种是，在曹拓麻被带到事故中心的时候，那里的干警压根儿就没有给他做酒精含量测试。原因之一是他们的仪器实在忙不过来。这种说法并不是毫无依据。资料显示，那一天，事故中心先后处理了二十三个酒后驾车的司机（其中有一个司机已经大小便失禁），同时还有三个犯了同样错误的司机，因为有人说情而没有被处理。一种是，事故中心尽管发现曹拓麻很有来头，但还是公事公办，给他做了测试，但测试后的条子不知道放到什么地方去了。通常说来，只要没有撞人，没有闯出什么祸来，司机同志只要交付了罚款（具体数目从五十元到五百元不等，敢于犟嘴的罚得多些，但犟得特别厉害的，也可能分文不罚），就可以滚蛋了。因此，条子乱放，也算是个正常事件。不过，也有一些人说，那个条子并不是放丢的，而是被人（要么是事故中心的负责人）烧掉的，变成了灰烬。就像甘洌博士烧“病危通知”那样，那个人掏出打火机，将条子轻轻点燃了。

上面这两种猜测或许是重要的，但还是没有多大意思——至少和下面要提到的现象相比，意思不能算大。

事故中心的人后来透露，十月十九日晚上，他们在拿着卡拉OK话筒似的检测器走到曹拓麻身边的时候，心里都像狗抓似的难受。不仅如此，他们每个人都还听到了狗叫，那种声音又遥远又迫近，又真实又虚幻，还能让人双腿发麻，头皮发紧，好像随时都可能摔倒，“连生殖器都好像有反应，似乎要连根脱掉”，“真的使人不敢随便乱动”。可是，一旦把那个检测器放回原处，所有不适的症状就“又消失了”。更奇怪的是，拿着检测器走到别的肇事者跟前的时候，不但没有什么不适的症状，而且还会有一种心旷神怡、如沐春风的感觉。事故中心的一个人对我重复了这个说法以后，说："信不信由你，超自然的现象并不是所有人都愿意相信的。"

取 证

为了写这篇小说，我收集了许多登有曹拓麻事件的报刊。

"十·一九"案件的有效证人、证词少得可怜。正如报纸上所提到的，两次开庭，公诉方提供的证人都没有出庭作证，他们只是提供了书面证词；到法庭作证的唯一的证人，是由被告人即曹拓麻提供的，他是个香港人，名叫黄林（一九五五～　），来一趟济州并不容易。

公诉方和检察院向法院提供的证人名单曾多次更改。当然，有些名单是无法更换的，比如武警范辛良和交警张红卫。但这两个人也没能出庭：范辛良在开庭的前一天，被派到外地执行"绝密公务"去了；至于张红卫，他根本就无法出庭，因为他已经成了烈士。"十·一九"事件之后，有关部门发现曾生擒过亡命之徒的张红卫还保持着英雄本色，甚为喜悦，就让他去执行了一个光荣的任务——开车将交警们"献爱心"献给一个乡村小学的几台黑白电视机送到大别山区。在大别山区，张红卫遭到了拦路抢劫，以身报国了。在开庭审判曹拓麻的一星期之后，有关部门为张红卫开了一个隆重的追悼大会，并号召全市交警向张红卫学习。

当然，还有些证人没有出差，因为他们本来就是退休工人或下岗职工。当时在体育馆东侧卖羊肉串的人，外号叫作羊筋，他是车祸现场的目击者。如前所述，那个叫蔡猛的球迷在等着买票的时候，还在他那里买了几串羊肉串，并进行了忏悔（一边吃，一边骂自己没出息）。羊筋和蔡猛都被列入了证人名单，但这两个人也没有出庭。羊筋说："谁让我出庭，我就死给谁看。"羊筋这么说着，就用串羊肉的自行车辐条在自己的手腕上拉了一个血道，然后又夹起一块烧红的木炭，放到了手心。"我可不是傻×，一哄就哄住了。"他说，"我正准备结婚呢，可不愿在这节骨眼儿上死掉。"蔡猛也不是傻×，所以蔡猛也不愿出庭。他刚参与了一次球迷之间的打赌，并且赢了，虽然还没有拿到一分钱，但他觉得自己的运气可能会有所好转，他不想在好运气到来之前糊里糊涂地死去。说起来，他们打的赌和这个事件也有点关系（这一点我后面还要提到）：

（1）球赛时裁判会偏向哪一方？

（2）球赛前要出现什么吉祥物？

这两项蔡猛都赢了，赢得最容易的是第二项，蔡猛认为这简直可以看成好运气必然到来的标志。这是一场由中美两个足球俱乐部举行的足球友谊赛。有人认为，既然比赛是在中国进行的，那吉祥物一定是卡通熊猫；有人认为，既然我们是个礼仪之邦，那有关方面就会考虑用人家的芭比娃娃当吉祥物。蔡猛当时心情不好，他懒得考虑这种问题，所以梗着脖子喊了一下："是狗，是个狗日的。"真是不可思议，众多人当中，只有蔡猛一个人说对了，后来出现的果然是一条狗。谁能说蔡猛以后没有好运气呢？

那个最先把这事捅到报纸上的记者孟庆云，曾来找过羊筋和蔡猛，劝他们出庭作证。她当然遭到了拒绝。在此之前，孟庆云曾和丈夫以及公诉方的律师一起去找过另一个证人，即那个将电话打到《济州晚报》社值班室的大学讲师丁宁。丁宁说，他一辈子也不愿和法庭打交道，如果真的需要他的证词，那他可以把证词写下来，条件是不透露他的姓名。丁宁说，拒绝了老朋友，自己心里有点过意不去，他愿意请老朋友到帝豪酒店吃一次早茶。当律师提醒丁宁帝豪酒店的早茶贵得吓人，只有曹拓麻他们才能吃得起的时候，丁宁说他可以先向孟庆云借点钱。他们果真去了帝豪酒店，那一顿早茶喝下来，丁宁三个月的工资就搭进去了。

就在喝完早茶的那一天的午后，孟庆云又接到了一个恐吓电话。据孟庆云的丈夫说，恐吓电话其实从十月二十日起就没有停过，以前的电话通常是"出门就轧死你这个臭娘儿们"之类的，可那天的电话又加入了新的内容。电话里的那个人说话很温柔，以致他们最初还认为电话是医院的妇幼保健医生打来的。电话开头几句话是这么说的："你的小宝宝现在还好吧？多吃点蔬菜，多到户外走走。”但说着说着就变成了：“只是要多当心，别出门就撞到了车上，不替自己想，也得多替肚子里的小东西想想啊。”孟庆云的丈夫说这样的电话太多了，他们确实没有太放在心上。那个时候，他们当然没有料到，过不了多久，不幸就会像一只恶鸟，栖落到他们的肩头。

就在同一天的下午，孟庆云去上班的时候，报社的一个负责人在过道里拦住了她：“你最近脸色不大好，一定是太累了，该去做一次检查。”过道的墙上挂有镜子，孟庆云照了照，说自己的脸色“还是老样子”，不需要花那个闲工夫。她还拍了拍鼓起来的肚子，说“都是它闹的”。负责人笑了笑，说：“还是查查好。”当孟庆云掏出钥匙开门的时候，负责人手按着门框，又轻声细语地说了一句：“你的脑子现在还好使吧，据说你曾把记者证当成了一只蝙蝠？”

年龄最小（?）的植物人

死人的事是经常发生的，诞生一个植物人却比较稀罕。

这个植物人就是小闵渊。甘洌博士希望通过互联网络能够早日确定小闵渊是世界上年龄最小的植物人。现在各大医院的日子都不好过，如果这一点能够得到证实，那对医院知名度的进一步提高将大有裨益。

自打人们像“在弹花机上摘棉花”那样把小闵渊从林肯的底

盘上“摘下来”后，小闵渊就没有醒来过。当然，由于医疗人员的精心治疗、护理，他也奇迹般地没有死去。对“植物人”的界定有一套严格的专业术语（以此可见，这方面把关很严，并不是谁想当就能当上的）。为了说得容易理解，我在这里采用一个通俗的说法：待在不死不活的界面上的人，就是植物人。我们可怜的小闵渊刚好就待在这个界面上，所以他就成了年龄最小（?）的植物人。

在黑夜中和外星人“对过话”；多次就克隆技术和小朋友们展开争论；梦见过自己成了中国足球队队长范志毅；因为香港要在次年的七月一日回归，就埋怨母亲不该拖了一天才把自己生下来（他的生日是七月二日）……这个正处在胡思乱想年龄的小闵渊，可能做梦也没有想到，自己有一天会以这样一种方式成为吉尼斯大全中国版本中的“一最”。

一九九六年十月十九日晚上，小闵渊由父亲闵大钟陪同前往母亲家中。这一天是星期六。父母离婚之后，只要学校不补课，小闵渊每个星期六、星期日，都跟父亲在一起过。按照惯例，这个晚上小闵渊还要和父亲待在一起。可是，这一天晚上闵大钟有了新的安排：他的女朋友要在晚上十一点多下火车（从广州回来），两个人得见上一面。在出门之前，当爹的给当妈的打了个电话，说要把闵渊送回去。当妈的说他们最好在晚上十点左右回来，“因为这里有客人”。她所说的自然是自己的情人（市财政局的处长）。没办法，当爹的就领着儿子在街上转悠着。他们究竟转了哪些地方，现在已经无法查考。不过有一点大致可以确定，当爹的领着儿子逛过一个出售盗版 VCD 光盘、软件、游戏卡的小商店。济州人都知道，那些东西都是从有关部门弄出来的——有关部门每过一段时间就打击一下盗版市场，将收缴的东西烧掉一大批，剩余的（音像效果更好一点儿的）一小批由内部人的家属再次推向市场。那些东西（俗称水货）非常便宜，深受爱沾小便宜的老百姓的喜爱。顺便提一下，曹拓麻的儿子曹淇虽然也从事这种无本万利的生意，但闵大钟父子那天逛的那个小商店和曹淇并没有联系——我们不要把所有的锅灰都抹到曹氏父子的脸上。

小闵渊有一台电脑。母亲告诉他，电脑是父亲给他买的（当着儿子的面，闵大钟没有提出异议），而实际上，电脑是那个财政局的处长在情人节那天送给母亲的小礼品。

小闵渊成了植物人之后，兜里仍然装着那天晚上买的游戏卡。我很想知道那个游戏卡里面都是什么内容，后来我就买了一张（还是在那家小商店买的）。原来是迪士尼卡通片，里面有一个小飞人彼得·潘，总是戴着一顶蛋卷冰激凌似的帽子。据小闵渊的母亲说，儿子一直迷恋这个小飞人，已经买了几张碟，爱屋及乌，蛋卷冰激凌似的帽子儿子也买了好几顶。小飞人这个形象我是比较熟悉的，我另一篇小说中的一个叫王自的人物，也喜欢这个能飞的卡通人物。迪士尼乐园，“后现代”的童话王国，孩子们永恒的天堂。飞啊，飞啊，在天堂里飞啊。我想，小闵渊在成人之前的那一瞬间，或许想着自己正和小飞人彼得·潘一起，在另一个奇异的空间里美丽地飞翔。是的，在那一瞬间，他真的飞起来了。那辆由布丁先生描述的会飞的林肯，先将他撞飞，然后又携带着他飞奔到了一〇七国道。

请稍等一下……我得在此补充一点：成了植物人的小闵渊兜里装的那张游戏卡和我后来看到的游戏卡，虽然都是水货，但不是同一个版本。卖给我的游戏卡后面有一些色情画面，而闵渊那张却没有。不过，两张卡的片头标志是完全一致的：一只狗好像刚从睡梦中醒来，优雅地翻了个身，然后向我们踱步而来。

会飞的林肯

让我们重新回到那辆林肯上面，也就是布丁先生认为能够飞翔的林肯。鉴于布丁先生是追车族的一员，我曾经认为，他可能会因为过度着迷而给林肯增加一些神秘或魔幻的色彩。在我接触了别的目击者之后，我对布丁的说法增加了一点儿信任。那个名叫丁宁的大学讲师也认为，那辆林肯车“好像会飞”。要知道，丁宁在大学里教的是古典文学，一个与训诂、考证有关系的学科，职业的习惯对他有限制作用，使他不大容易成为一个信口开河的人。尽管如此，我对布丁和丁宁他们的说法仍然将信将疑。我想，他们所说的大概是指林肯不需要太长距离的起跑，不需要保持高速，就能逾越一些障碍。也就是说，他们很可能无意地将自己的感觉夸大了。是啊，有谁见过长着翅膀，让它干什么它就干什么的飞车？谁敢打这个赌啊？在打赌方面，并不是每个人都有蔡猛那样的好运气的。再说了，布丁老婆做的是一本万利的皮肉生意，不缺钱，赌输了也不要紧，一般人哪有这种优越条件啊？

说起来难以置信，当事人曹拓麻也认为那辆车会飞。在法庭上曹拓麻提到了这一点，他咬定他开的是一辆“会飞的林肯”。这么一说，旁听席上的人都笑了。法官打断了曹拓麻，提醒他注意，法庭是庄严的，法律是神圣的，是不能够亵渎的。公诉方的律师认为，曹拓麻之所以要那样说，是要给别人造成他神经失常的假象，就像他曾经在人民医院装作病危一样。辩方律师提出了抗议：既然无法拿到曹拓麻曾在人民医院装作病危的确实证据，就不能够打这样的比方、下这样的判断。法官认可了辩方律师的意见。

就像我们已经知道的，首次开庭（一九九七年三月六日）并没有作出判决，两次开庭相距一百零四天（第二次开庭是在一九九七年六月十八日，即农历丁丑年的五月十四日——这恰好应验了民间的那个说法：逃得过初一，可逃不过十五）。这期间，双方律师都有许多工作要做，可是，在繁忙的工作中，他们还是各自抽出了时间，研究了林肯车究竟会不会飞的问题。是啊，这个问题不但是重要的（因为它涉及曹拓麻是否说谎、脑子是否正常，证人是否作了伪证，等等），而且是有趣的。

有好长时间，林肯就放在法院的院儿里。由于传得神乎其神，在这期间，市杂技团的人曾来联系过，想借它做一次道具，表演一下飞翔。说他们的演出是为希望工程筹款的——这是个非常美妙的理由，使人无法拒绝。法院院长郝思民先生（一九四二～ ）经过一番深思熟虑，最后同意了这个要求，说既然要搞，就要搞得像那么一回事，可以从电视台借两个摄像师，把过程拍摄下来，一来可以作个证据，二来可以让更多的人开开眼界。同时，院长同审理此案的法官薛希平先生（一九四九～ ）打了个招呼，叫他不要到场。“你最好不要去，那不过是一次杂耍。”院长说，“你要是真想看，可以和我一起通过闭路电视，慢慢欣赏。”

排练是在绝密的情况下进行的，当双方律师获知这一消息，赶到法院门口的时候，法院的第二层铁门已经关上了。透过门缝，双方律师看到林肯车四周围着参与了案件审理的七八个人。眼看着表演就要开始了，还无法进场，这两个被堵在外面的律师不由得捶胸顿足。当然，他们谁都不知道，与此同时，法院的大院子套着的这个院子出现在院长面前的闭路电视的屏幕上，而且跑到了万里之外。在遥远的太空，一颗观测卫星也观察到了这一景象。更出乎双方律师预料的是，此时此刻，有一只狗也正通过太平洋上空的那颗卫星，观察着法院大院里的动静，其中包括两位律师捶胸顿足、抓耳挠腮的分镜头。

一个擅长走钢丝，正学着玩马术、开飞车的杂技师（一九六八～ ），是这次排练的主角。他（他的大部分时间都在空中度过，他曾说那是自己的宿命）掐灭了烟头，对着摄像机扮了个鬼脸，然后钻进了林肯车。那辆林肯在空地上兜了个圈子，随即就头朝上竖了起来，类似于猴子或狗突然直立起来的样子。在人们的欢呼声中，它绕着用来挂旗的旗杆，又兜了一个圈子。接着，它突然颠簸起来，颠簸了一会儿，它又换了个姿势，让头部着地，类似于我们常说的拿大顶，或者说类似于张艺谋导演（一九四八～　）的《摇啊摇，摇到外婆桥》结尾的镜头——被吊起来的那个小主人公，屁眼朝天地面对着这个世界。

这个时候，在那扇锈迹斑斑的铁门之外，双方律师作了一番自接受这桩案子以来的第一次学术交流。就像大部分的学术交流都不会有正儿八经的结果一样，他们的交流也没能结出什么果子来。当然，他们有一点达成了共识，即你既可以说林肯已经飞起来了，也可以说它没有飞起来，一切都还得走着瞧。

当然，至少在这一天，双方律师没能继续瞧下去，因为那个玩杂技的人突然从车里爬了出来，在那一瞬间，他似乎有点发蒙了：他没有直接往下跳，而是像爬云梯似的，向翘起来的车尾爬了过去。就在人们不知道他要玩什么把戏，替他捏一把汗的时候，他突然发挥出杂技演员所具有的“猴大胆”的优势，在那个顶部来了个朝后两空翻，然后，纵身一跳，跳到了众人站立的台阶前。

人们围着杂技师欢闹了一阵子，闹过之后他们才发现，对于林肯来说，这个演员其实什么也没有证明，他只证明了自己是个杂耍演员——而他这套把戏，其实说不上有什么新意，要是在剧院里，观众们可能都懒得正眼瞧他。数天之后，我才知道，与其说杂技团对传说中“会飞的林肯”感兴趣，不如说他们是对“和‘十·一九’大案有瓜葛的林肯”感兴趣。鉴于许多市民无缘亲眼看到这辆在各种新闻媒体上被反复提及的林肯，杂技团就想把它借到自己的剧场里展览一番，逗着心里发痒的市民买票进场，使他们在观看林肯的同时，不得不去欣赏杂技艺术。

一点补白

前面提到，两位律师在法院的第二层铁门外看那个杂技师表演的时候，进行了一次学术交流。我还特意提到，这次交流是他们接手这桩案子以来的第一次。之所以要这样说，是因为这两个人以前曾经进行过多次交流。这两个人，担任公诉方律师的叫林立群（一九六五～　），担任曹拓麻律师的叫贾秀全（一九六五～　），他们同是黄昌勇（一九四二～　）的得意门生。

说起黄昌勇先生的业绩，济州司法界稍有脑子的人都耳熟能详。黄先生在济州创办了第一家属于自己的律师事务所；曾经成功地为一个来济州走穴的歌星打赢了官司，随着那位歌星越来越红，黄先生的名气也越来越大；一位贩毒者因为黄先生的辩护而到了天堂（即捡了一条命）；一位虐待男学生的女教师因为黄先生的有力控诉，而在教师节那天被送进了地狱（即丢掉了一条命）；在第一家律师事务所打响之后，经黄先生的幕后参与，济州又创办了十家律师事务所。之后，黄昌勇先生就把事务所交给别人去操持。粗看上去，他好像是黑瞎子（熊）掰玉米，掰一个扔一个，实际上，大家都知道，这些律师事务所背后都在向黄先生交租，没少过一个子儿。在后来创办的十家律师事务所当中，黄先生最看中的两家，一家由林立群主持，另一家由贾秀全主持。林立群和贾秀全也因此被看作黄先生最得意的门生。黄先生本人也是这么看的，每次出席重要的学术会议，除了带上那个当了寡妇的女朋友之外，带的就是林立群和贾秀全他们两个。

实际上，曹拓麻最早聘请的律师就是黄昌勇先生。经过中间人，双方已经就聘金的具体数目达成了协议，可在这节骨眼儿上，黄昌勇先生突然因为肾衰竭住进了济州人民医院。在钱和命之间，黄先生选择了命。两天之后，当得知林立群已经担任了公诉方的律师，黄先生向曹拓麻推荐了贾秀全。当贾秀全和林立群提着鹿茸、虎鞭来医院看望黄先生的时候，黄先生按着小腹，来了一偈：“八仙过海，狗尾续貂。”两个门生都希望导师能够说得稍微详细一点儿，可导师已经抬起手来，像撵蚊子似的撵他们走了。

号子里的曹拓麻

号子里的曹拓麻也听说了杂耍一事（当然是从贾秀全那里听

说的），可他听过了之后，并没有什么反应。他对这事没有兴趣，他感兴趣的是，自己什么时候被毙掉、儿子生殖器的现状，诸如此类的问题。当然，除此之外，他还关心一些与我们每个人的生活密切相关的重要事件。

在第一次开庭之后，一九九七年三月八日，前来探监的孙惠芬和孙惠芬的弟弟孙庭国（一九六七～　）曾和曹拓麻做过一次交谈。

这个时候的孙庭国已被任命为济州经济开发区公安分局的副局长（“三十而立”这个词用到孙庭国身上真是恰如其分）。曹拓麻上来就问孙庭国开庭的前一天，即三月五日那天在干什么。孙庭国以为姐夫是在责怪自己，就解释说，那一天他在家里陪姐姐，别的什么也没干。曹拓麻接着又问：“三月五日是什么日子，你知道吗？”内弟不敢吭声，只是怯生生地将香烟点着，递给了姐夫。“那是毛主席‘向雷锋同志学习’题词发表三十五周年的日子，这样的日子你竟然敢给我忘了。”孙庭国听了这话，脑子才转过弯儿来。曹拓麻吸了几口烟，说：“《战国策·楚策》里有一句话，叫作‘亡羊而补牢，未为迟也’。你回去之后，开动开动脑筋，想想办法，把损失夺回来。既然这个月和雷锋有关，那在你的辖区内搞个‘学雷锋——警民共建文明月’活动也不是不可以。”曹拓麻的这番话对站在一边的看守王进（一九七六～　）也很有启发，王进立即把这番话当成自己的想法说给了领导听。领导对“他的想法”很赞赏，当即发给了他一根竹竿，让他“跑步，走——”，去把菜园厕所的下水道通开。

曹拓麻在事发之前实际上已被任命为济州市开发区公安局的局长，只是还没有正式上任而已。“十·一九”事件出来之后，局座的交椅曹拓麻当然是坐不成了，坐上去的是他的管庄区公安局的同事，原来的副局长章跃进（一九五八～　）。章跃进也来看过曹拓麻。在交谈中，章跃进拐弯抹角地安慰曹拓麻说：“老曹啊，都说开发区好，我就看不出来它好在哪里。”曹拓麻问章跃进“那里怎么个不好”。章跃进一时语塞，想了一会儿才说，那里虽然有不少富人，但和他们没什么关系，倒是局里的一些中年人的家属有不少下岗的，让他感到头疼，因为他实在不忍心看着不管。“那就管呗。”曹拓麻说。“管，怎么管？让他们都去卖羊肉串吗？那东西取缔还取缔不完呢。”章跃进一脸无奈地说。曹拓麻懒得和老部下多啰唆，也来了一偈：“天时地利，以夷制夷。”

就像林立群和贾秀全不能理解黄老先生的意思一样，章跃进也没弄明白曹拓麻的意思。有感于章跃进还能想到来号子里看看自己，曹拓麻就对章跃进多说了两句：“把下岗的人组织起来，成立个市容清理小组，让他们去清理那些先下岗的人。”这一下章跃进清醒过来了。后来，他对朋友们说，他对曹拓麻佩服是佩服，可他非常讨厌曹拓麻耍词儿。“什么以夷制夷，”章跃进说，“不就是‘狗咬狗，一嘴毛’吗？”不过，话一出口，章跃进就有点儿后悔了：曹的内弟孙庭国现在就是这个局的副局长，这话要是传到他的耳朵里，自己可就得吃不了兜着走。章跃进当即决定再去看一次曹拓麻，让曹拓麻知道自己的忠心。应该带什么礼物去呢？他想啊想，最后想起了樱花。章跃进后来不但带着樱花去了，而且还对曹拓麻说，他上任后要抓的大事之一，就是美化工作环境，使大家能够保持心情舒畅。“比如，我要在院子里移植几株樱花。”这么说着，章跃进就像魔术师表演帽子戏法似的，从领带旁边摸出了一枝樱花。

由于一直在西装里面掖着，所以花枝已经发乌了。章跃进捏着樱花，让曹拓麻看。那樱花还没有盛开，但一看到那钟形的花萼，曹拓麻的眼睛就湿透了。

贾秀全目睹了曹拓麻教育孙庭国的过程和章跃进向曹拓麻献花的情景。他以前也办过几个案子，可他从来没见过这种场面。正如他后来对费边说的，他发现曹拓麻和黄昌勇先生一样，都是这个时代的大智者，“和他们一比，我只是个幼童”。

就在这一次，在章跃进走了之后，贾秀全对曹拓麻说他刚从北京回来，想告诉曹拓麻一个好消息——在北京期间，他邀请部分权威的法学专家，对此案的定罪和量刑进行了论证，论证的结果是：“能让你蹦起来，即你可以保住一条命。”

曹拓麻听了并没有蹦起来，他说他刚让儿子发了一个传真，希望在香港回归的第二天走向刑场。贾秀全听了大为吃惊，低声问曹拓麻给谁发了传真。曹拓麻没有回答，只是说他正在等待着对方的回话。“如果不出意外的话，明天我就可以在帝豪酒店接待你了。”曹拓麻说。贾秀全大为欣喜，他以为曹拓麻通过特殊渠道得到了内幕消息，案子要有新的眉目了，就高兴地说他喜欢那里的德国黑啤和刚刚研磨出来的巴西咖啡。

帝豪酒店

来过济州的人都知道，位于济水河边的帝豪酒店是济州最高的建筑，来济州访问的国内外重要人物一般都在那里下榻。那个地方我至今还没有去过。一九九七年的三月九日，也就是海尔-波普彗星和日全食同时出现的那一天，我本该有幸到那里瞧瞧的，因为一位朋友从国外回来了，在那天早上邀请我和费边去帝豪用那里的望远镜观看千年不遇的景观，可那天我临时有事，错过了这次机会。

贾秀全以前是否到过帝豪酒店，我不知道。我只知道他这次去，因为两套西服都有点脏（如前所述，他刚从北京回来），不得不去借费边的西服用了一下。他是在彗星和日全食后的第三天，即首次开庭后第六天去的。鉴于各种媒体在这之前都预言会判处曹拓麻死刑，而首次开庭并没有作出判决，曹拓麻又从号子里跑到了这样一个地方，贾秀全不能不有一种打赢了官司的感觉。他感到自己处理法律事务的能力已经得到了证明，自己所在的律师事务所已经建立起了良好的声誉。尽管他对小闵渊成为植物人深表同情，可替小闵渊辩护的毕竟是林立群，一想到这里，他就又有点同情林立群了。

但贾秀全万万没有想到，在三月十二日这一天的中午，当他接到电话赶到帝豪酒店的时候，他在酒店大厅里遇到的第一个人就是林立群。林立群和一个女人走在一起。贾秀全觉得这个女人非常面熟，接着他想起来她就是小闵渊的母亲萧芳芳女士（一九五八～ ）。他们来这里干什么？贾秀全正感到纳闷，林立群笑哈哈地走了过来，握着他的手说："哥们儿，'狗尾续貂'的意思，我好像有点明白过来了。"

侍者查看了贾秀全的证件，将他领进了电梯。贾秀全从来没有坐过这么快的电梯，难免有一种失重的腾云驾雾的感觉。他想，宇航员在太空行走的时候，大概就是这感觉。电梯旁边视盘上的数字，一直在闪烁。从数字上看，贾秀全是在上升，可感觉上却是在下降，仿佛要驶往地心。"我们这是要往哪里去啊？"贾秀全不安地问侍者。侍者打量了他一下，说："刚才那个姓林的先生也这样发问，让我不得不再查一下他的证件。你的证件也掏出来，让我再看一眼。"侍者翻了一会儿证件，说："别急，马上就到。"

"别找错了地方。"贾秀全看着闪烁的电梯视盘说。

"怎么会错呢，房间号是九七三九，彗星降临的日子。"侍者说。

下了电梯，看到楼道的地毯上摆放的鲜花，贾秀全一时难以相信自己现在是在九十七层高的楼上行走。侍者将他领到三十九号房间门口的时候，门突然开了。贾秀全看到曹拓麻、孙惠芬、曹淇都坐在地毯上，一位侍者垂手站在一边。贾秀全进来的时候，曹拓麻并没有什么反应，仍然看着某一个地方。

贾秀全的眼睛很快也被同一个地方吸引住了。在墙角的那个拐弯沙发上，坐着一只狗。贾秀全起初并不知道那是一只狗，因为狗刚洗过澡，身上的毛还没有干，现在用被单围得严严实实的，只剩下那颗湿漉漉的狗头露在外面。贾秀全正不知道怎么跟狗打招呼，狗突然问他："黄先生的腰子，现在还疼吗？"贾秀全愣了，张着嘴巴说不出一句话来。曹淇踢了他一下，说："笨蛋，哑巴了，问你怎么不说话啊？"曹淇话音儿未落，就遭到了狗的批评："曹淇，你爹说你是个二流子，看来没有说错。从今天起，你给我学乖一点儿，尤其是不能再给别人打恐吓电话了。鲁迅先生说过，辱骂和恐吓绝不是战斗。"曹淇犟了一句嘴，说那电话并不是他打的，他也不知道是谁打的。狗把被单抖了一下，对曹拓麻说："看你把他惯成什么样子，娇子如杀子啊。"狗接着提到了庄子（约前三六九～约前二八六）："庄子是怎么说的？'朝菌不知晦朔，蟪蛄不知春秋'，要目光远大一点儿，学会抓大放小。死之前，你得抽时间管管曹淇，他要是再胡闹，你就别想等到香港回归了。"曹拓麻低着头没有吭声。就在贾秀全琢磨着狗的意思的时候，房间里突然发出啪的一声响，原来是曹拓麻抡圆了胳膊，给了曹淇一个响亮的耳光。

据费边说，那一天，贾秀全真的在帝豪酒店喝到了正宗的德国黑啤和巴西咖啡。不过，贾秀全并没有喝出什么特殊的味道来。他一直在想着刚才见到的那一幕。他觉得狗的声音非常好听，有一种久经锤炼的金属般的光泽，好像狗的嗓子眼儿里装着一个可以起共振作用的金属薄片。喝咖啡的时候，贾秀全埋怨了一通曹拓麻，说他应该把北京的法学专家论证的结果给狗看一下。曹拓麻让孙惠芬把录音机打开，接着，贾秀全就又听到了狗的声音："算了吧，老曹，不要谈什么平等了，在骨子里，每个人都在要求比平等更多的东西，要有更宽敞的住房、更好的汽车、更美妙的妞儿，你还是拉倒吧……"

这一天，曹拓麻在返回号子之前，邀请贾秀全和他一起洗个桑拿浴。贾秀全说他不习惯洗桑拿，只要是热水澡就行。服务小姐站在那里，贾秀全不好意思脱衣服，穿着裤头只顾抽烟。他对曹拓麻说，是不是让小姐到九七三九房间给狗搓搓背？曹拓麻说，狗搓背搓得太多了，已经搓感冒了。贾秀全又问曹拓麻，是否也想抽支烟？曹拓麻说他从来不抽万宝路，因为他反对美国烟草专卖局的亚洲计划。服务小姐不停地进进出出，贾秀全也就一次次地往水里钻。当他再次钻出水面的时候，他发现自己的身体有点不对头了，腿根好像拴着一个凶器。他还发现躺在浴缸里的曹拓麻，闭着双眼，完全是一副瘫软沉迷的样子，就像偶然从豪华客轮的甲板上掉下来的在梦游中的海上遇难者。

在穿衣服的时候，贾秀全掏出他从北京带回来的论证材料，用打火机将它们点燃了。

再作一点交代

看过这篇小说手稿的朋友对我说，“狗杂种”这个说法真是不好听。我不这样看，我认为这是人的感觉，而不是狗的。我们说一只狗是“狗杂种”，实际上包含着对那只狗的肯定——瞧啊，它有着多么充分的杂交优势，身体素质好，头脑灵活，胃口也不错，吃屎啃骨头样样在行。对这样的肯定，狗通常会摇头摆尾表示照单全收。有一个基本的前提需要强调一下，即现在世上所有被人捧到天上，当成独生子女或者当成爷爷奶奶供养的那些名贵的狗，其实都是杂种（不是杂种你还不愿养呢）。

坦率地说，正是因为案件和狗有关，我才有兴趣写这篇小说。当我在报纸上得知林肯上落有几撮狗毛的时候，我比谁都高兴。我还非常担心双方律师吃饱了撑的，把狗拉到法庭上作证。也就是说，我非常感谢法庭对狗的不传讯，双方律师对狗的不涉及。当我听说与狗有关的卷宗，在首次开庭之后就变成了灰烬的时候，我认为这是个喜讯——这样刚好可以给我留下一个叙事空间，就像野地里的狗尾巴草把沟渠旁边的狭小空间留给玫瑰一般。熟悉我的朋友都知道，我早就被小说的各色人物弄烦了，总觉得应该弄只狗啊猫啊什么的来搅一搅。

我自己还认为，在小说里写狗，是我的强项。小时候我养过两只狗，养的就是杂种狗，是一支守桥部队养的军犬和当地土狗杂交的产物。现在我还记得，在电视还没有进入百姓家庭的时候，每年的农历二月和八月，狗夫妻的交配给人们带来多少欢乐啊。那简直就是一道精神快餐，人们就像看情景喜剧一样开心，看的还是电视连续剧，并且还能随时参与剧情的创作：一边观看狗夫妻的表演，一边弯腰捡起石子、瓦片、棍棒，为狗助威，或向狗夫妻的主角地位发起挑战；心细的妇女还会端着一脸盆开水，使狗能在交配的同时洗个热水澡。这么说吧，我对人性的理解，有不少是从这种情景喜剧中获得的。我第一次看这种喜剧的时候，还没有上学呢。也就是说，在我还不知道什么叫深入生活的时候，我已经深入过生活了。既然好多人都说生活是创作的唯一源泉，那么我就很想找个机会写一篇与狗有关的小说。

我还要再交代一点，我真正开始构思这篇小说，是在一九九六年的十一月二十日，也就是小闵渊成为植物人的一个月之后。球迷朋友可能都记得这个日子。没错，那一天，能够容纳三万名观众的济洲体育场，可以说是座无虚席。

吉祥物

我也是个球迷，不过我从来没有到现场看过比赛，也就是说，我只是个电视迷。这可能与我的个性有关。我虽然对那个皮球也很着魔，可我不喜欢那种聚众狂欢或集体悲伤的场面，对体育场、大会堂、广场上的各种聚会、同声欢叫或哭泣，我总是有着一种说不清楚的畏惧。

一九九六年十一月二十日那场球，我自然也是在家里看的。当我打开电视的时候，让蔡猛打赌获胜的那个吉祥物刚刚上场。坦率地说，我当时还以为它不是一条真狗。它那么大，光尾巴就有几米长，比大象的鼻子还要长，还要粗。当它爬到球场中央的彩车上的时候，它竟然直立了起来，前腿腾出来向球迷朋友和各位贵宾挥舞致意。我的妻子当时也看到了这个场面，当然她也以为那是人扮演的。当她看见狗吐出长舌头，吻着身边的一个小女孩的时候，她忍不住夸奖了它一番："他（它）演得可真像啊!"

那样一个情景确实让人难以忘怀。我记得彩车后面还跟着一支秧歌队。虽然当时天气很冷，但扭秧歌的姑娘们穿的还是比基尼泳装。她们扭的秧歌大家都比较熟，就是延安时期的名剧《兄妹开荒》里的那种秧歌。坐在彩车上的狗，不时地回过头来，向扭秧歌的姑娘们抛上个飞吻。每到这个时候，现场的观众们都会狂呼乱叫。从电视上看，许多观众前额上的青筋都鼓出来了。后来，当裁判和双方球员进场的时候，狗又从彩车上跳了下来，与他们合影留念。

我真想找来这场球的录像带再看一遍。据说，这场球已经有了 VCD 光盘，不知道是不是真的。我记得球赛开始之后，电视镜头还在狗身上停留了几次。在球赛的下半场，狗没有再出现，我想那个时候狗大概已经去忙别的事了。不过，雁去留声，狗去留影，当镜头在观众席上扫过的时候，我看到有些人在高声唱着歌，有些人在高喊“白痴”“狗日的”，还有些人举着一撮毛在那里振臂欢呼——我想，那撮毛一定是从吉祥物上掉下来的狗毛。

我想，读者朋友一定能够理解我的心理：我是多么想见到那个狗杂种啊。有那么一段时间，这竟然成了我的一块心病。在曹拓麻被毙掉之后，我仍然想通过各种渠道，目睹到狗杂种的尊容。就像博尔赫斯（一八九九～一九八六）所说：“许多次的失败，消磨了我的好奇心和信心，但是我仍然以一种机械的动作寻找着它的脚印。”去年的七月十五日，我去费边家里玩牌的时候，遇到了曹淇——就像我在《午后的诗学》里写的那样，费边家的客厅很大，你在那里总能遇到各种各样的人。我委婉地向曹淇提到了狗杂种的事，问他能不能帮我引见一下。刚过完瘾的曹淇非常爽快，他说那还不容易，狗杂种多的是，随时都可以见到。他的话说得如此轻巧，让我都有点不敢相信自己的耳朵了。不过，曹淇说完这话就不吭声了，我想这个二流子也不过说说而已，不会有什么结果的。

但就在我们要坐下打牌的时候，果然有一只狗从费边家的小客厅里跑了出来。它一过来，就径直卧到了沙发上——坐的不是羊皮沙发，而是木制的水曲柳沙发，因为沙发扶手可以用来蹭痒痒。狗一坐下就用遥控器把电视打开了。我整个看傻了。这期间，曹淇朝狗走了过去，对它说想从它那里换点零钱。像变魔术似的，狗将一把钢镚儿递给了曹淇。看着那个阵势，我嗫嚅了半天，说不出一句话来。鉴于费边这里经常举行一些化装舞会，在那一刻，我突然想到这只狗可能并不是狗。但我很快就否定了自己的想法，因为我看见了只有狗才有的动作——这只狗将自己的一只后腿跷了起来，一边看电视，一边把尿撒到了沙发旁边的小痰盂里。它瞄得很准，一点儿也没有撒到外面去。撒完之后，它还歪着脑袋、伸出舌头将自己的那根慢慢回缩的生殖器舔了几下。那样一个从容的动作，我估计杂技师也是做不到的。不消说，尽管我看到的是那么真切，但我还是怀疑这是不是我无可奈何中的一种幻觉。

顺便说一下，我前面提到的博尔赫斯的那句话，就出自博尔赫斯的小说《一个无可奈何的奇迹》。那篇小说写到博尔赫斯对曾经出现在布莱克（一七五七～一八二七）和切斯特顿（一八七四～一九三六）作品中的老虎的渴望——布莱克称老虎是明亮的火，是恶的永恒典型；切斯特顿称老虎为可怕的优美的象征。在一个雨季的末梢，博尔赫斯来到了恒河岸边的小村子里。可他在那里并没有见到梦想中的老虎，他见到的是一些可恶的不停地繁殖的小石片。“这个邪恶的奇迹重复了好多次”，令他觉得“双脚和小腹一阵发冷，膝盖不停地战栗”。当时我就想，我比博尔赫斯要幸运：不管白狗黑狗，最终我总算见到了一条。

我无意回避我的震动——特别是当我看到费边家里出现的那只狗卧在沙发上表演起魔术的时候，我的震惊就更是无以复加了。狗给我们表演了怎样不通过遥控器，就可以切换电视频道；

表演了怎样一缩脖子，就可以使项圈自动脱落。这期间，费边家的小保姆给狗端来了红烧猪排和色拉牛排，并拿来了筷子和吃西餐用的刀叉。曹淇站在一边，将餐巾掖到了狗的项圈里面。狗还想喝点德国黑啤，费边为难地说，黑啤刚喝完，要不要派人去买一点儿？狗说，算了，让孙庭国来一趟吧。猪排还没吃完，我们就听到了汽车鸣笛的声音。隔着玻璃，我看见一辆林肯停在楼下的空地上，在月光下，闪烁着刺眼的亮光。那辆林肯也出现在了电视屏幕上面，当然，同时出现的还有林肯车上的月光。车门打开了，先出来的是一条狗，然后是孙庭国，然后又是一条狗。就像卡通片中经常出现的情景似的，有许多条狗从车门里钻出来，越来越多，似乎永无穷尽；也像是刚才在我的电脑里出现的病毒符号，不管你怎么删除，它们还是成群结队地到来。

孟小云的诞生

这一节原名叫“孟庆云之死”，因为电脑病毒的出现，它莫名其妙地丢掉过三次。为什么每次丢的都是它？我不得不怀疑有什么东西在背后捣鬼。我已经没有信心将这一段再写一遍了。刚才，我突然想到，为什么不换个小标题呢，或许换个标题，就可以使它免受电脑病毒的伤害。

一九九七年的六月二十七日，即第二次开庭后的第九天，处于预产期的孟庆云，在医院里突然感到孩子好像想出来了。孟庆云对丈夫说，同室的产妇都向医院提出了要求，要求打安胎针，使孩子能够生在香港回归的那一天。丈夫问孟庆云是否也想打一针，孟庆云说她不想搞那种名堂。到了三十日的晚上，许多打过安胎针的妇女，又要求医院换打催生针。医生对孟庆云说：“这时你总该来一针了吧?”孟庆云还说不想，只想顺其自然。她还提醒医生说，两种针都打，对产妇没有好处。医生说，顾客就是上帝，上帝愿意掏钱，医院也没有办法。据孟庆云的丈夫回忆，在医院里，孟庆云还提到过蒋纬国先生（一九一六～一九九七）的老婆石静宜（一九一八～一九五三）就是死于安胎以后的催生。

孟庆云说得没错，七月一号那天，在济州市（据不完全统计）有十二名产妇为了能如愿以偿地生出个小宝宝，把命搭了进去。

孟庆云不在这十二名妇女之列。她是在七月二日死去的，死于大出血。幸运的是，她在死之前，看到了自己的小宝宝。这是个女孩，名叫孟小云。我手头有小云的照片，据孟庆云的丈夫说，小云长得和她母亲小时候一模一样。

会 饮

我想用一个欢乐的场面来结束这篇小说。在这个欢乐的场面中，首先出场的是一辆林肯牌轿车，开车的是一个名叫黄林的香港人。这是一九九六年十月十九日的下午，秋高气爽。黄林刚从开发区回来，现在正驾车沿着繁华的中山路由西向东行驶。他要驶往帝豪酒店，在那里设宴招待几个朋友。

曹拓麻是第三个到达的客人（当然，他也是这天晚上倒数第三个走掉的——先到是为了迎接别人，后走是为了给别人送行）。晚上七点三十分左右，黄林的朋友都来了。黄林是七七级大学毕业生，从当知青时起，就是个理想主义者。他曾认真研究过柏拉图（前四二七～前三四七），虽然后来到了香港，可他身上的理想主义色彩还是那样无处不在。眼下，黄林正在开发区建立一个娱乐城，名字就叫“理想国”。这会儿，他举起杯来对朋友们说：“作为一个理想主义者，起码应该感到生活是简单而有趣的，让我们举起杯来，这虽然不是盛宴，但却是柏拉图笔下才有的会饮。干杯!”

坦率地说，黄林他们这一天喝得并不多。如前所述，曹拓麻是倒数第三个走掉的。黄林送他下楼的时候，对他说：“你尽管放心好了，理想国不会给你惹麻烦的，各人有各人的宗教，你的宗教是不出事，姑娘们的宗教是多捞钱，嫖客们的宗教是性高潮。我知道该怎样去尊重每个人的宗教自由。”多天之后，作为证人的黄林，在法庭上又把这番话说了一遍，使得坐在旁听席上的司法学校的女生们，听得耳根都发红了。

黄林和曹拓麻一起走出了酒店。酒店台阶前的小空地上，停放着那辆林肯。

朋友们，正如我们已经知道的，曹拓麻钻进了那辆林肯。他并不知道自己要到哪里去，只是想开着遛遛。这是他第一次爬进林肯；第二次是在他被毙掉的第七天，当时，他的内弟孙庭国在孙惠芬的催促下，开着车将他的骨灰撒进了横贯全市的济水河。

沿着繁华的中山路，曹拓麻由东向西疾驶着。福寿街马上就到了。由于出现了一个偶然事故，在体育馆的东侧，曹拓麻突然加速了，朝着一〇七国道飞去。路上的人群闪开了，在一阵阵惊呼声中，曹拓麻感到林肯真的飞起来了。